Katja Berlin · Peter Grünlich

Was wir tun, wenn der Aufzug nicht kommt

Die Welt in überwiegend lustigen Grafiken

WILHELM HEYNE VERLAG
MÜNCHEN

MIX
Papier aus verantwor-
tungsvollen Quellen
FSC® C021783

Verlagsgruppe Random House FSC-DEU-0100
Das für dieses Buch verwendete
FSC®-zertifizierte Papier *Tauro* liefert Sappi, Stockstadt.

Originalausgabe 01/2012

3. Auflage
Copyright © 2012 by Wilhelm Heyne Verlag, München,
in der Verlagsgruppe Random House GmbH
Printed in Germany 2012
Umschlaggestaltung: Nele Schütz Design
Satz: Uhl + Massopust, Aalen
Druck und Bindung: RMO, München
ISBN: 978-3-453-60220-5

www.heyne.de

Vorwort

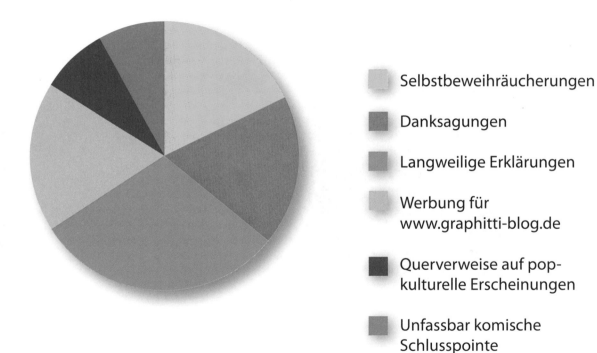

Selbstbeweihräucherungen

Danksagungen

Langweilige Erklärungen

Werbung für
www.graphitti-blog.de

Querverweise auf pop-
kulturelle Erscheinungen

Unfassbar komische
Schlusspointe

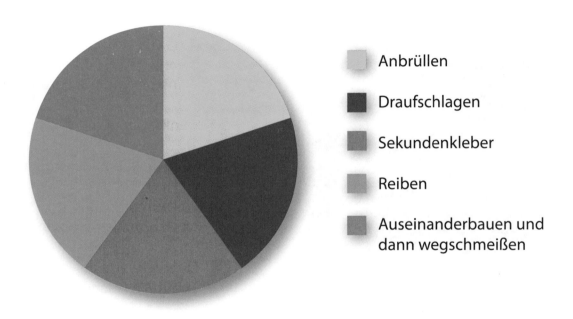

Meine Reparaturstrategien

- Anbrüllen
- Draufschlagen
- Sekundenkleber
- Reiben
- Auseinanderbauen und dann wegschmeißen

Wartezeiten an der Kasse

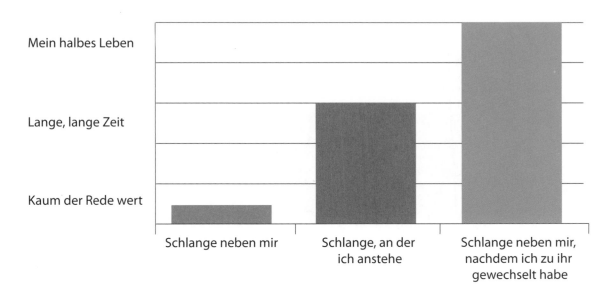

Duftkerzen sorgen für ...

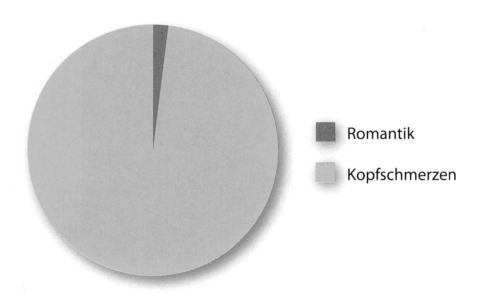

- Romantik
- Kopfschmerzen

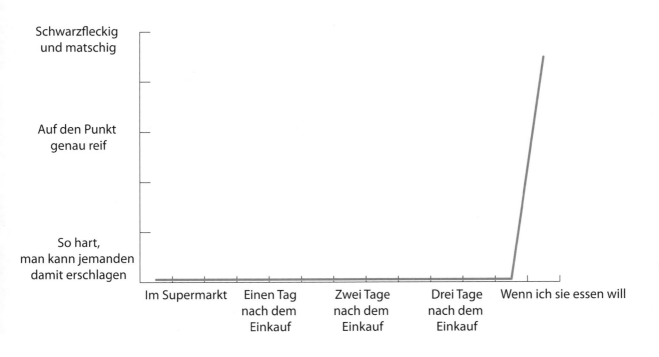

Was mache ich, während ich darauf warte, dass der Toaster fertig ist

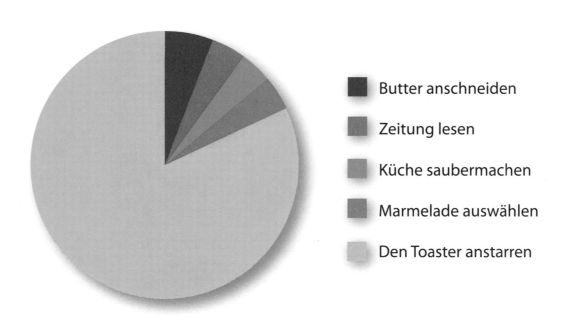

- ■ Butter anschneiden
- ■ Zeitung lesen
- ■ Küche saubermachen
- ■ Marmelade auswählen
- ■ Den Toaster anstarren

Regenwahrscheinlichkeit

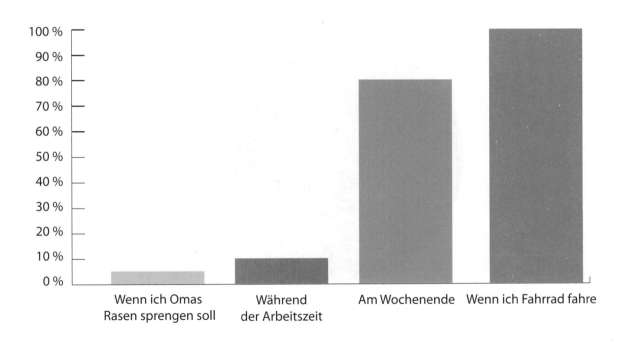

Haben Sie die Nutzungsbedingungen gelesen?

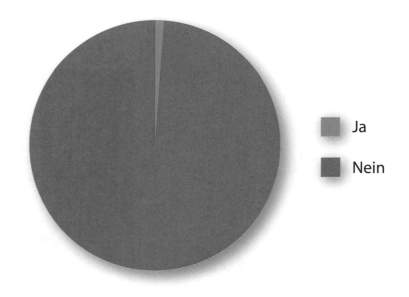

- Ja
- Nein

Akzeptieren Sie die Nutzungsbedingungen?

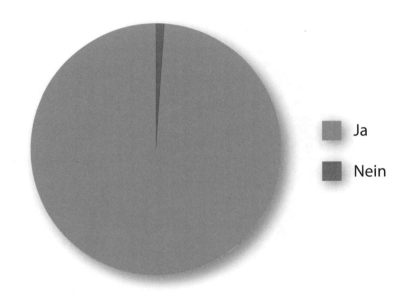

Ja

Nein

Die zentralen Probleme der Adligen

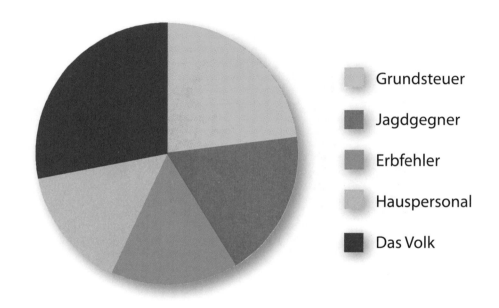

- Grundsteuer
- Jagdgegner
- Erbfehler
- Hauspersonal
- Das Volk

Wie intelligent sich Kinder vorkommen
(im Vergleich zu ihren Eltern)

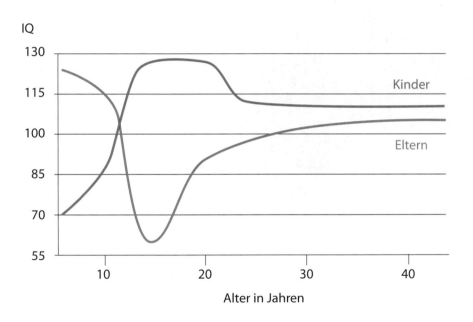

Beilagen, die Männer mögen

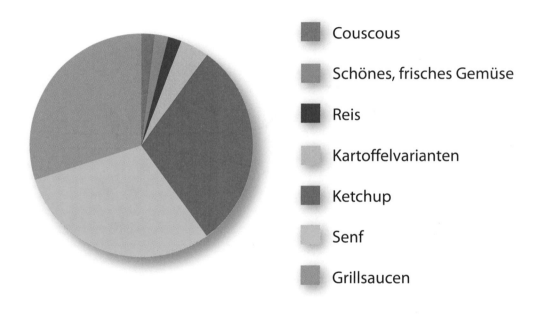

- Couscous
- Schönes, frisches Gemüse
- Reis
- Kartoffelvarianten
- Ketchup
- Senf
- Grillsaucen

Was Frauen beim Fußball nicht verstehen

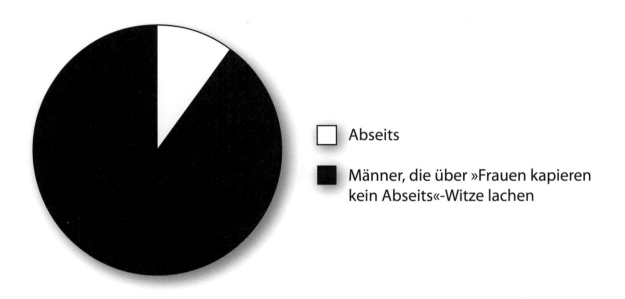

☐ Abseits

■ Männer, die über »Frauen kapieren kein Abseits«-Witze lachen

»Bitte lass uns Freunde bleiben«

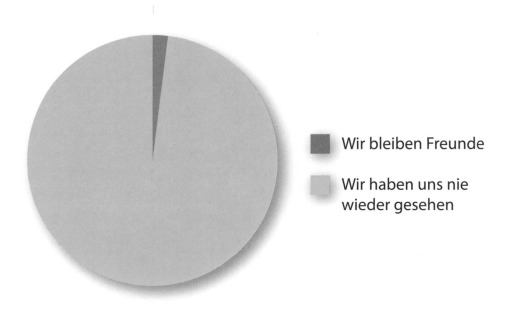

- Wir bleiben Freunde
- Wir haben uns nie wieder gesehen

Freude über Schnee

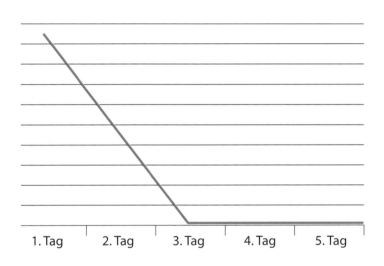

JIPPIE! Endlich Schnee!
Lass uns Schlitten fahren!

Ganz schön, aber
auch anstrengend.

Ich hasse diesen Drecksschnee!
Wann wird es endlich Frühling?

1. Tag   2. Tag   3. Tag   4. Tag   5. Tag

Wann ich lache

- Wenn mir jemand einen guten Witz erzählt.
- Wenn ich ein lustiges Katzenvideo sehe.
- Wenn jemand vor mir stolpert.
- Wenn ich nicht verstanden habe, was gerade gesagt wurde und der Redner mich erwartungsvoll anguckt.

Für wessen Besuch ich meine Wohnung aufräume

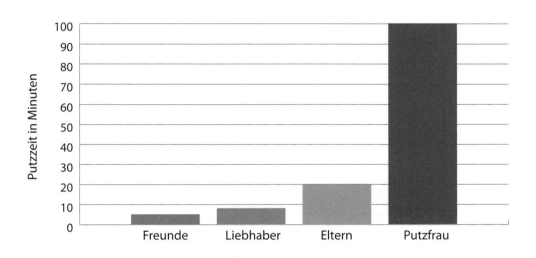

Was Ärzte hassen

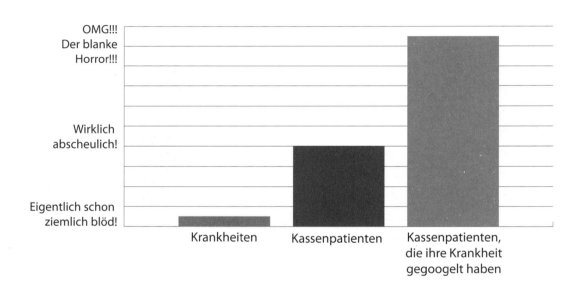

Mit welchen fünf Sätzen wird man spontan zum erfolgreichen Artdirector?

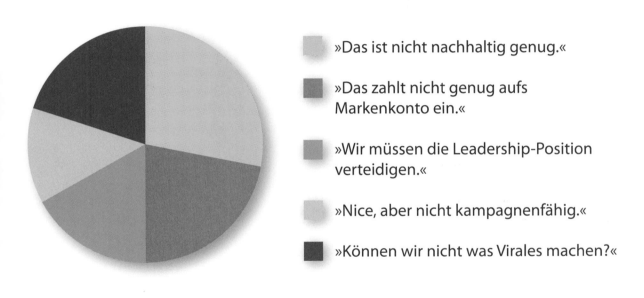

- »Das ist nicht nachhaltig genug.«
- »Das zahlt nicht genug aufs Markenkonto ein.«
- »Wir müssen die Leadership-Position verteidigen.«
- »Nice, aber nicht kampagnenfähig.«
- »Können wir nicht was Virales machen?«

Cola

Bisher erfolgte Weiterentwicklungen von Cola	Weiterentwicklungen von Cola, die ich mir wünsche
➡ Mit Kirschgeschmack ➡ Mit Vanillegeschmack ➡ Mit weniger Kalorien ➡ Ohne Koffein ➡ Mit mehr Koffein ➡ Ohne Zucker ➡ Mit Orangenlimo ➡ Mit Zitronenlimo	➡ Cola, die auch zwei Minuten nach dem Öffnen noch Kohlensäure enthält

Angetroffener Zustand der Geschirrspülmaschine im Büro

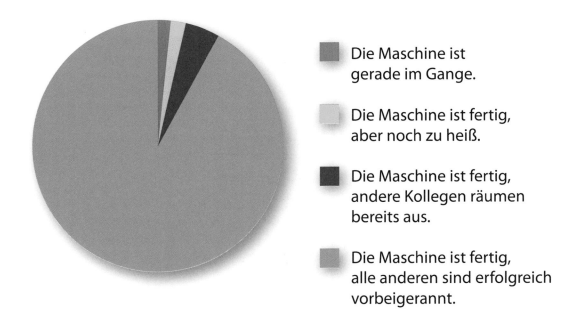

Meine Lebenspyramide

Spaß

Schlafen

Ernährung

Putzen & Haushalt

Arbeiten

Wo Leichen im *Tatort* gefunden werden

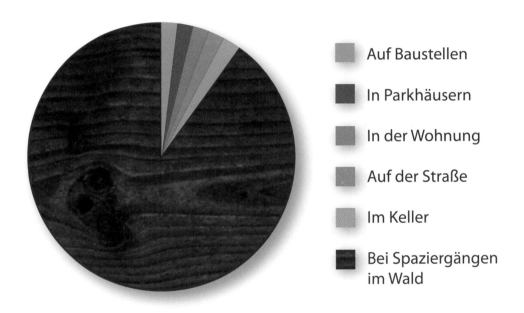

- Auf Baustellen
- In Parkhäusern
- In der Wohnung
- Auf der Straße
- Im Keller
- Bei Spaziergängen im Wald

Clowns

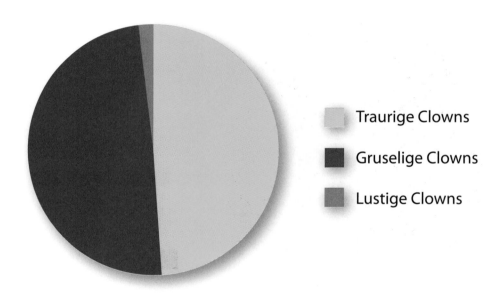

Traurige Clowns

Gruselige Clowns

Lustige Clowns

Afrika aus Sicht der Europäer

Gerade kein
Bürgerkrieg

Sand

Hunger
und sowas

Jack Sparrow

Obama-
Land

WHO-Verantwortlicher,
der sich die Ohren zuhält
und »Lalala« ruft

AIDS

100% Arbeits-
losenquote

Madonna-Land

Deutsch-
Afrika

Vuvuzela

Wie sich die Kosten eines Kinobesuchs zusammensetzen

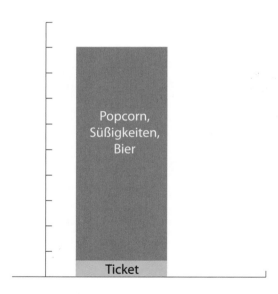

Die Fähigkeit, schriftlich zu dividieren

Bevölkerungsanteil

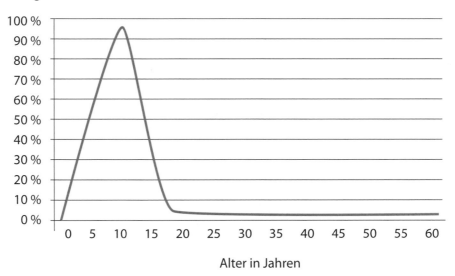

Alter in Jahren

Was menstruierende Frauen in Werbespots machen

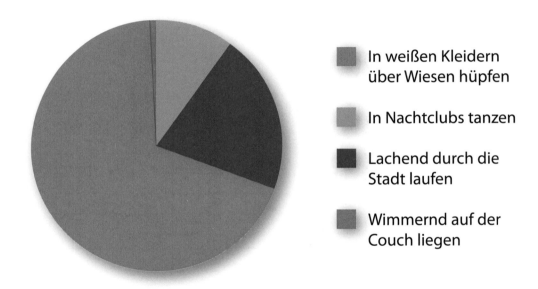

- In weißen Kleidern über Wiesen hüpfen
- In Nachtclubs tanzen
- Lachend durch die Stadt laufen
- Wimmernd auf der Couch liegen

Was menstruierende Frauen in der Realität machen

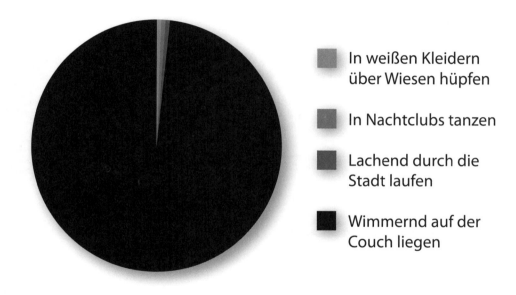

- In weißen Kleidern über Wiesen hüpfen
- In Nachtclubs tanzen
- Lachend durch die Stadt laufen
- Wimmernd auf der Couch liegen

Wo ich weinen musste

Zahl der Tränen

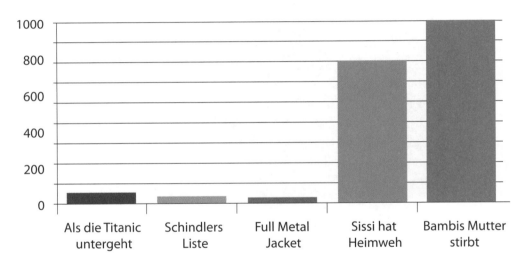

Wie Che Guevara mit den Leuten umgehen würde, die sein Konterfei auf dem T-Shirt tragen

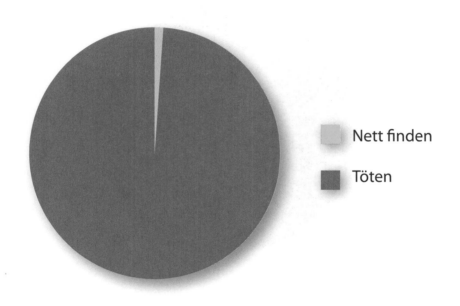

Nett finden

Töten

Farbe der Ampel bei meiner Ankunft

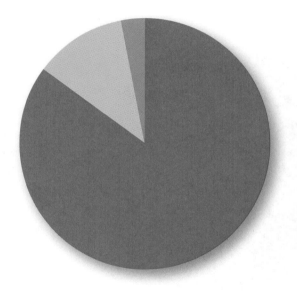

Erotische Kommunikation

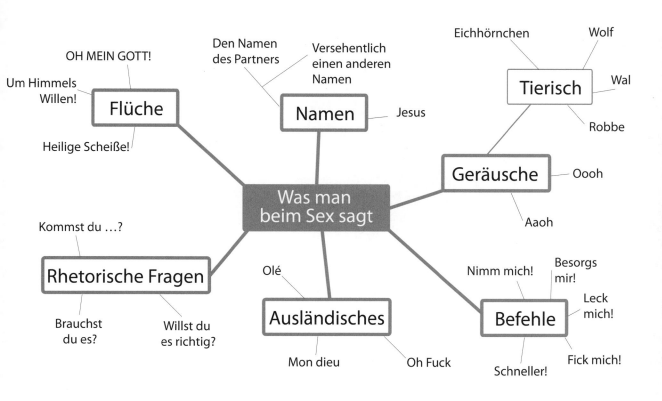

Wie lange es dauert, um eine Datei herunterzuladen

■ Die ersten 98 %

□ Die letzten 2 %

Berufe prominenter deutscher Frauen

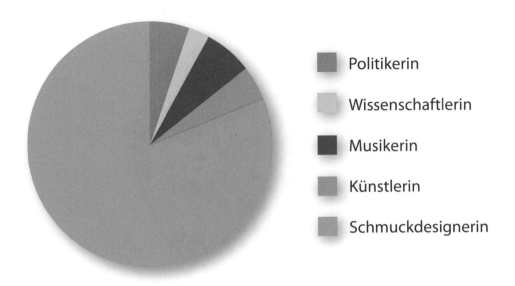

- Politikerin
- Wissenschaftlerin
- Musikerin
- Künstlerin
- Schmuckdesignerin

You

Elektronische Geräte kaufen

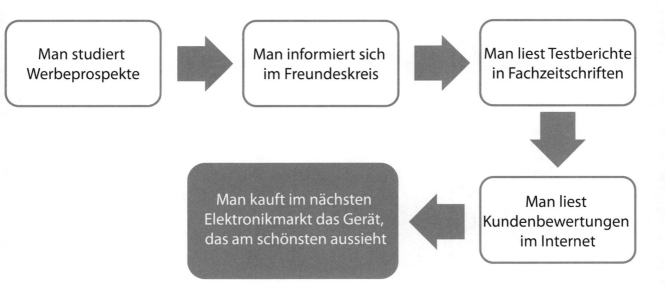

Wo der Döner ist, den ich gerade gegessen habe

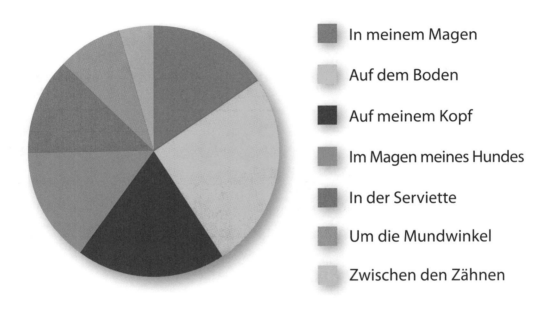

- In meinem Magen
- Auf dem Boden
- Auf meinem Kopf
- Im Magen meines Hundes
- In der Serviette
- Um die Mundwinkel
- Zwischen den Zähnen

Wie toll man seinen Partner findet

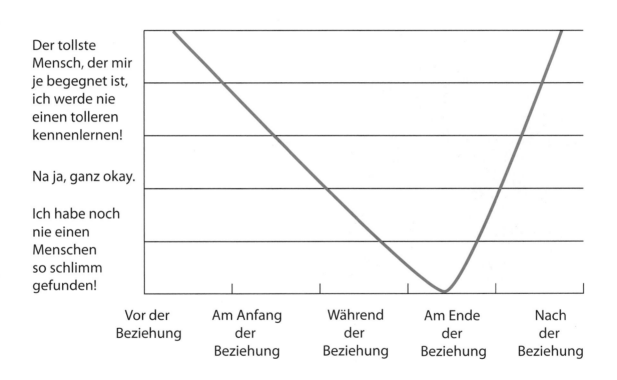

Die häufigsten Lügen von Geschäftsführern

»Die Mitarbeiter sind unser wertvollstes Gut.«

»Meine Tür steht immer offen.«

»Leistung wird belohnt.«

»In einem Jahr sprechen wir über Ihre Gehaltserhöhung.«

»Die Arbeitsplätze sind sicher.«

Anleitung zum Glücklichsein
in Frauenmagazinen

Auf welchen Namen Katzen reagieren

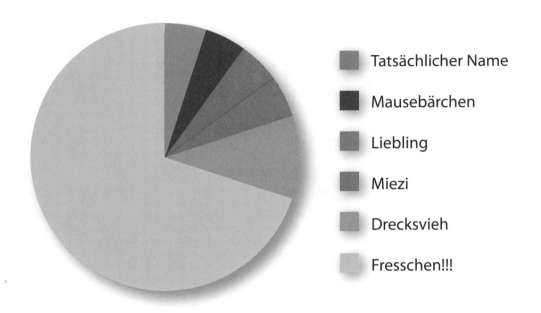

- Tatsächlicher Name
- Mausebärchen
- Liebling
- Miezi
- Drecksvieh
- Fresschen!!!

Warum der Vorgang im Amt nicht bearbeitet werden kann

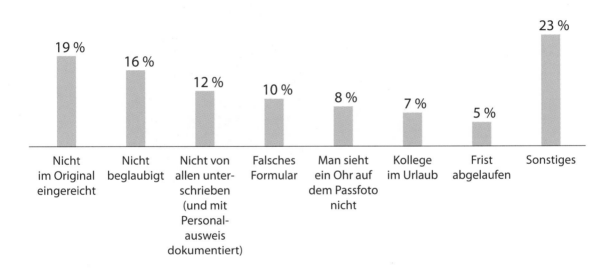

Wochenende

Dinge, die ich mir vorgenommen habe

Dinge, die ich gemacht habe

Ausschlafen

Google-Street-View-Nutzer

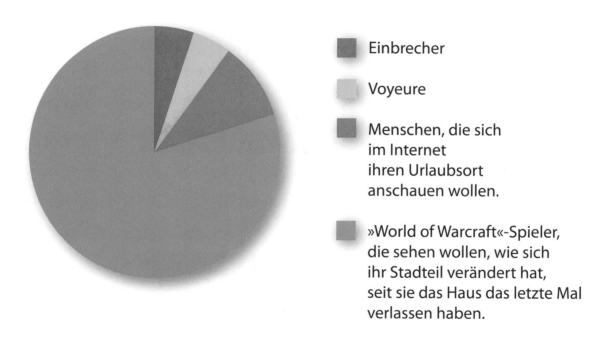

- Einbrecher
- Voyeure
- Menschen, die sich im Internet ihren Urlaubsort anschauen wollen.
- »World of Warcraft«-Spieler, die sehen wollen, wie sich ihr Stadtteil verändert hat, seit sie das Haus das letzte Mal verlassen haben.

Welchen Bereich ich laut meinem Zahnarzt putzen soll

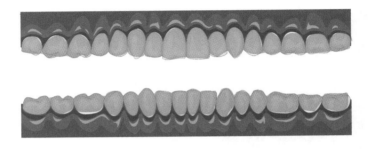

Welchen ich putze

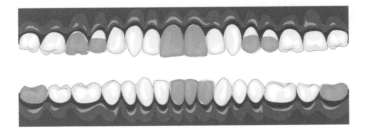

Comedians

Mario Barth

Witzige Comedians

Comedians

Die Erfolgspyramide

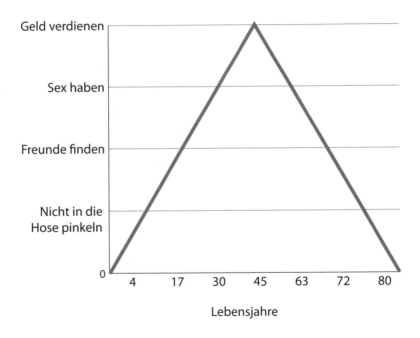

Dinge, über die wir uns ärgern

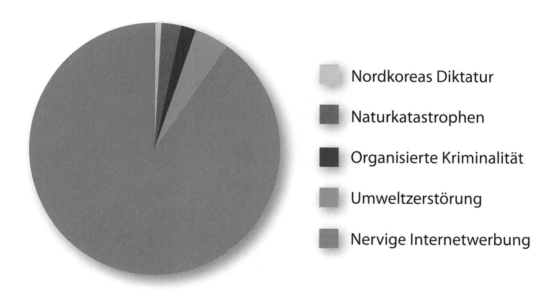

- Nordkoreas Diktatur
- Naturkatastrophen
- Organisierte Kriminalität
- Umweltzerstörung
- Nervige Internetwerbung

Woraus Erdnussflips bestehen

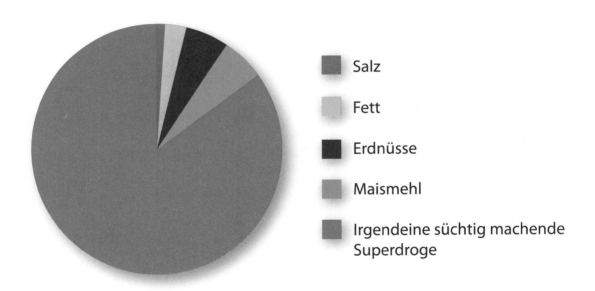

- Salz
- Fett
- Erdnüsse
- Maismehl
- Irgendeine süchtig machende Superdroge

Anrufe, die ich bekomme

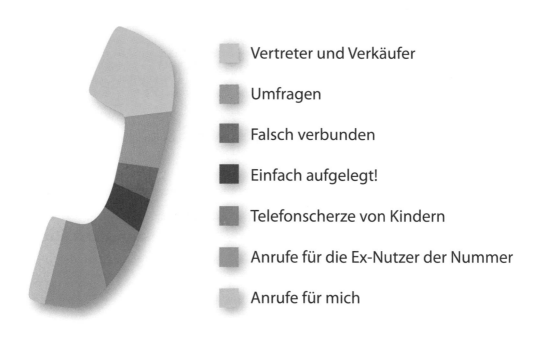

Vertreter und Verkäufer

Umfragen

Falsch verbunden

Einfach aufgelegt!

Telefonscherze von Kindern

Anrufe für die Ex-Nutzer der Nummer

Anrufe für mich

Wie Frauen flirten

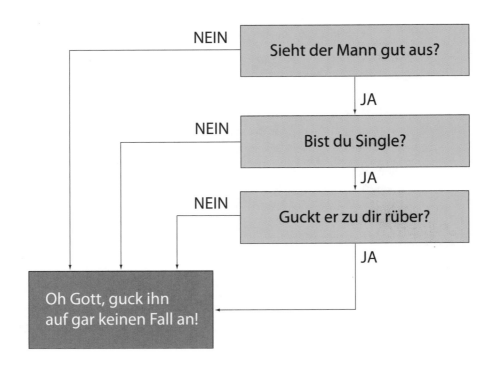

Wie Männer flirten

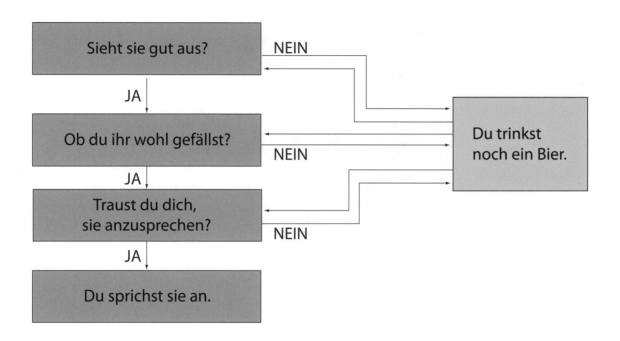

Leute, die den Behindertenparkplatz benutzen

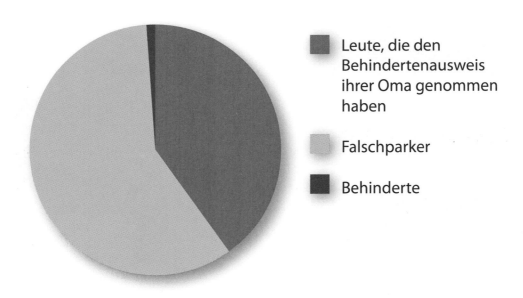

- Leute, die den Behindertenausweis ihrer Oma genommen haben
- Falschparker
- Behinderte

Halbwertszeiten

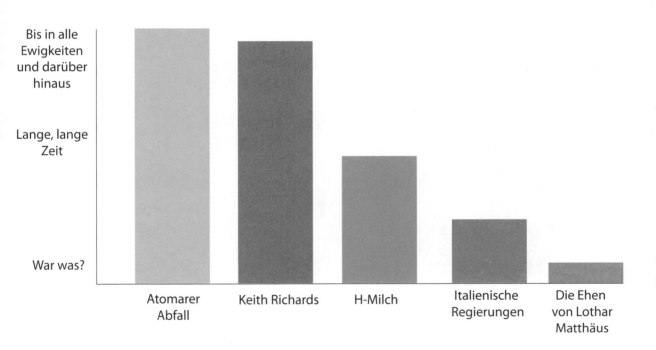

Wenn der Bürokaffee alle ist

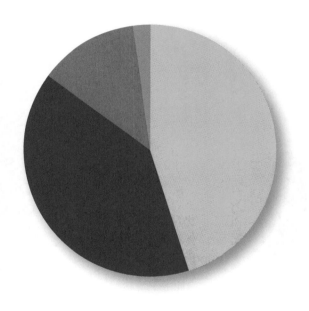

Man läuft durch alle Räume, um sich bei jedem Kollegen zu beschweren.

Man schreibt ein passiv-aggressives Post-it, das man an die Kaffeemaschine klebt.

Man bringt seinen Ärger bei der nächsten Betriebsversammlung zum Ausdruck.

Man kocht neuen.

Fragen, auf die am häufigsten gelogen wird

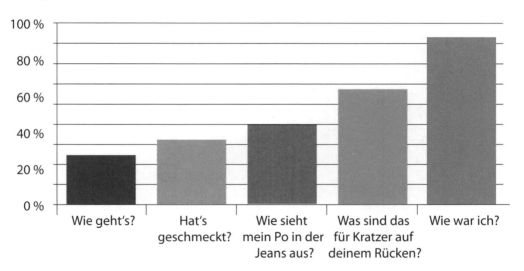

Anteil Lügen

100 %
80 %
60 %
40 %
20 %
0 %

Wie geht's? | Hat's geschmeckt? | Wie sieht mein Po in der Jeans aus? | Was sind das für Kratzer auf deinem Rücken? | Wie war ich?

Wie sich die japanische Bevölkerung zusammensetzt

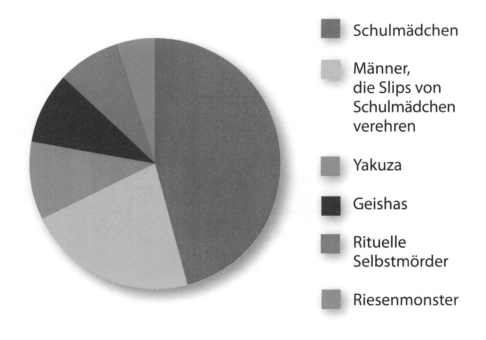

- Schulmädchen
- Männer, die Slips von Schulmädchen verehren
- Yakuza
- Geishas
- Rituelle Selbstmörder
- Riesenmonster

Von woher Miss Universe in den vergangenen Wahlen immer stammte

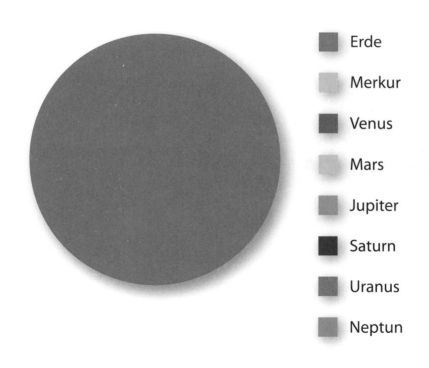

Erde

Merkur

Venus

Mars

Jupiter

Saturn

Uranus

Neptun

Wie sich das Gehalt zusammensetzt

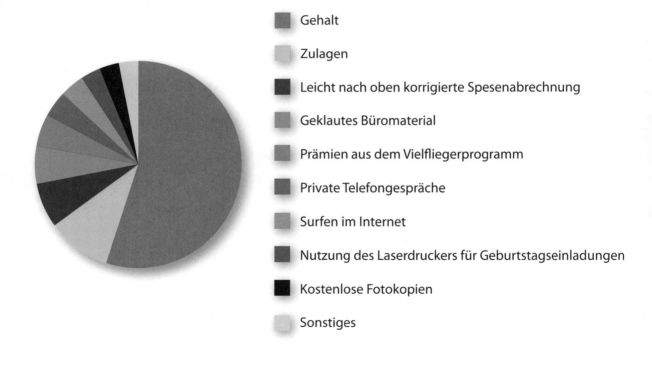

- Gehalt
- Zulagen
- Leicht nach oben korrigierte Spesenabrechnung
- Geklautes Büromaterial
- Prämien aus dem Vielfliegerprogramm
- Private Telefongespräche
- Surfen im Internet
- Nutzung des Laserdruckers für Geburtstagseinladungen
- Kostenlose Fotokopien
- Sonstiges

Gehe ich joggen?

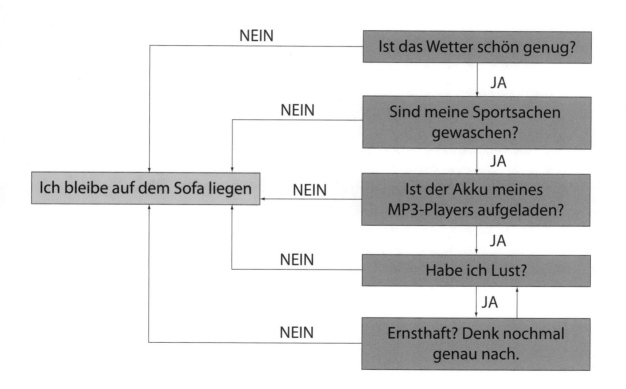

Wo man alte Männer sieht

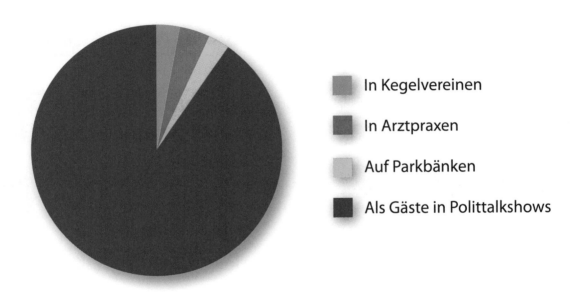

- In Kegelvereinen
- In Arztpraxen
- Auf Parkbänken
- Als Gäste in Polittalkshows

Wie lange ich brauche, um in meine Wohnung zu kommen

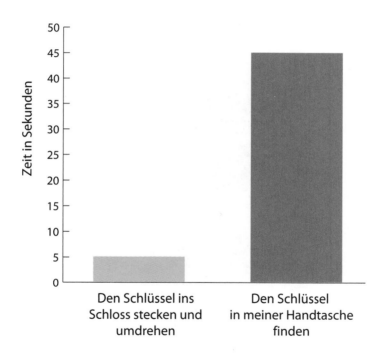

Deutschland aus Sicht der Berliner

Unser Meer

Elende
Nachmacher

Ruhrpott

Wir klauen eure
Veranstaltungen

Berliner
Seengebiet

Heimat

Berliner
Umland

Billige Zigaretten,
Schnaps
und Benzin

Nordschwaben, die unsere
Mieten hochtreiben

Südschwaben, die unsere
Mieten hochtreiben

Dorfbewohner mit
lustigen Klamotten

Deutschland aus Sicht der Bayern

Meer

Region, wo die
Steuergelder
verbraten werden

Sodom und Gomorrha

Erbfeind

Hier spielt
Sarrazins Buch

Russland

Schalke 04

Preußen

Ort mit lächerlich
kleinen Biergläsern

Prunkautobahn,
die vom Soli
bezahlt wurde

Schwäbische Revolution
wegen ein paar Bäumen

Das heilige Land

Weißwurst-Äquator

Was ich über Bohrinseln weiß

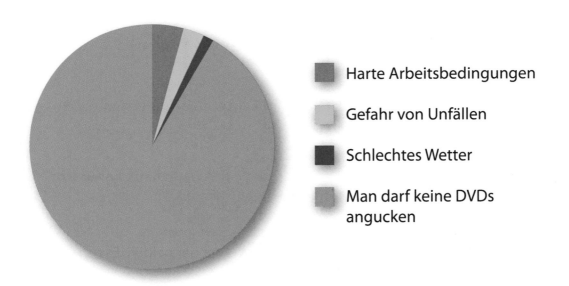

- ■ Harte Arbeitsbedingungen
- ■ Gefahr von Unfällen
- ■ Schlechtes Wetter
- ■ Man darf keine DVDs angucken

»Boy meets girl« in Filmen

US-amerikanischer Film	Er tötet ein paar Bösewichte und bekommt dann das Mädchen.
Französischer Film	Er weiß nicht, ob er die Frau will. Es passiert lange Zeit gar nichts, am Ende haben sie Sex.
Indischer Film	Er singt darüber, dass er sie will. Dann tanzt sie auf einmal zu diesem Lied, die beiden heiraten.
Skandinavischer Film	Sie lieben sich, dann stirbt einer der beiden. Es regnet viel.
Deutscher Film	Die beiden finden sich toll, aber erst muss das Pferdegestüt/ihr Blumenladen/sein Architekturbüro gerettet werden, bis sie sich küssen.

Was man macht, wenn die Batterien in der Fernbedienung schwächer werden

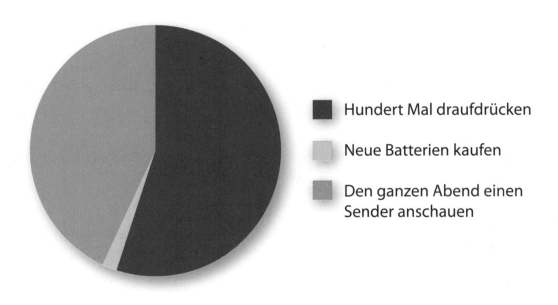

- Hundert Mal draufdrücken
- Neue Batterien kaufen
- Den ganzen Abend einen Sender anschauen

Die Mobilfunkfirmen im Vergleich: Wo nervt der Service?

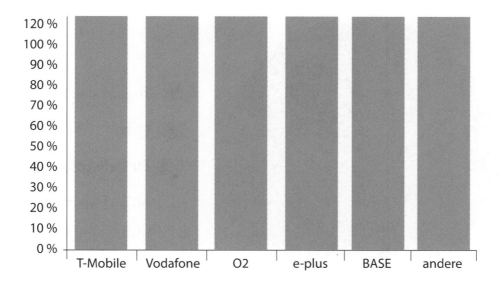

Was meinen Computer verlangsamt

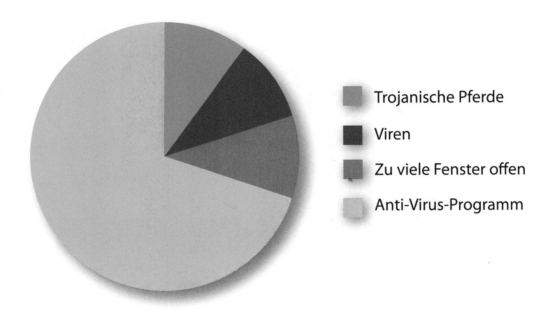

- Trojanische Pferde
- Viren
- Zu viele Fenster offen
- Anti-Virus-Programm

Situation im Flugzeug

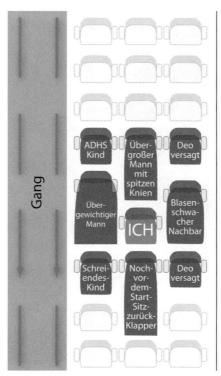

Gang

Fenster

ADHS Kind

Über-großer Mann mit spitzen Knien

Deo versagt

Über-gewichtiger Mann

ICH

Blasen-schwa-cher Nachbar

Schrei-endes Kind

Noch-vor-dem-Start-Sitz-zurück-Klapper

Deo versagt

Cockpit

Das Fandel'sche Paradox

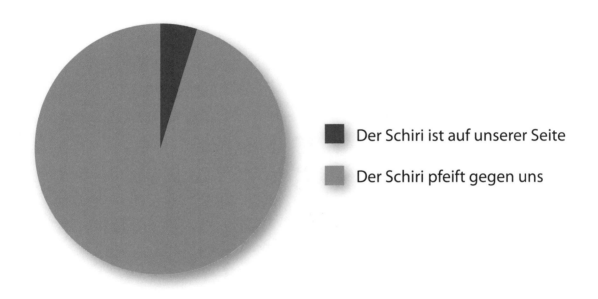

■ Der Schiri ist auf unserer Seite

■ Der Schiri pfeift gegen uns

Fluchanteil im Lebenszyklus

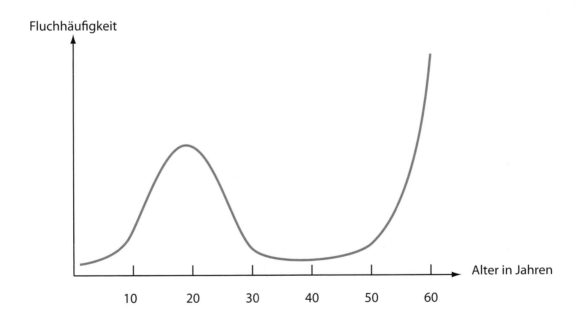

Fluchhäufigkeit

Alter in Jahren

10   20   30   40   50   60

Das Problem mit den Mädchen

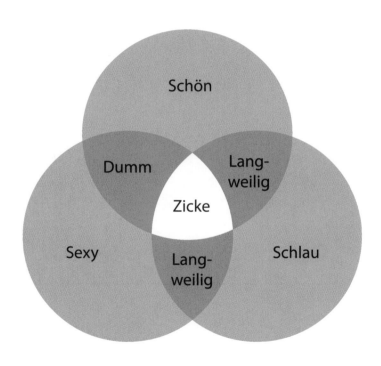

Das Problem mit den Jungs

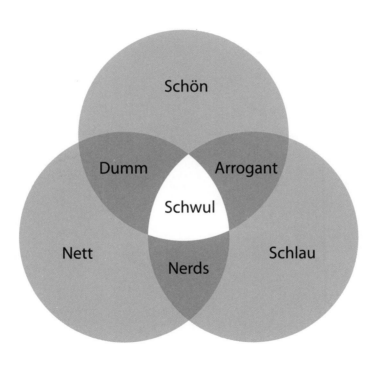

Mausbewegungen

Wenn ich alleine im Büro bin

Wenn mein Chef im Büro ist

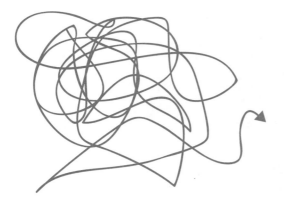

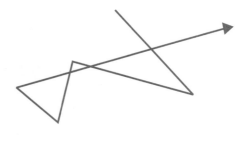

Das gibt es laut ZDF-Filmen in Afrika

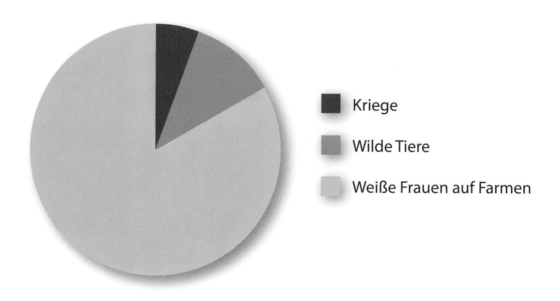

- Kriege
- Wilde Tiere
- Weiße Frauen auf Farmen

Was Handwerker sagen

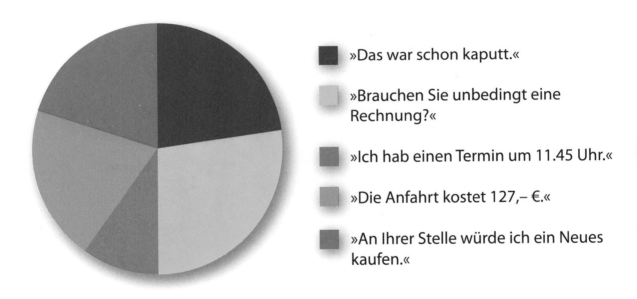

- »Das war schon kaputt.«
- »Brauchen Sie unbedingt eine Rechnung?«
- »Ich hab einen Termin um 11.45 Uhr.«
- »Die Anfahrt kostet 127,– €.«
- »An Ihrer Stelle würde ich ein Neues kaufen.«

Idioten am Steuer

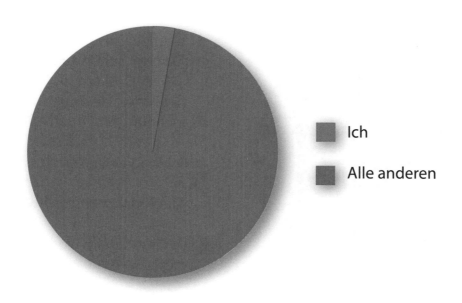

■ Ich

■ Alle anderen

Was ich bei Vorstellungsgesprächen denke

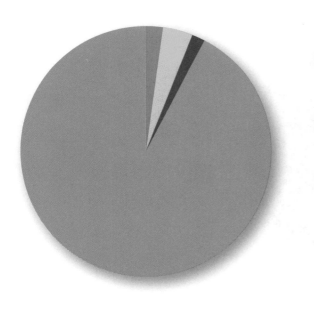

Das ist ein sehr attraktiver, facettenreicher Job.

Die Unternehmensphilosophie sagt mir wirklich zu.

Die Aufgaben klingen nach einer interessanten Herausforderung.

Hoffentlich schwitzen meine Hände bei der Verabschiedung nicht.

Wann ich Männer kennenlerne

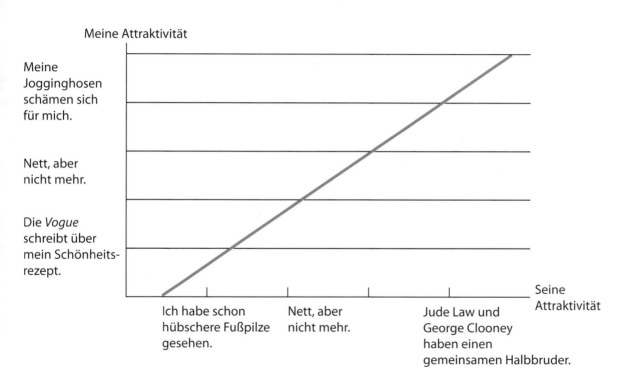

Hühnerei

Menschen,
die Eier für 15 Cent
das Stück kaufen

Menschen, die sich
über Lebensmittelskandale
wundern

»Ich bin schon unterwegs«

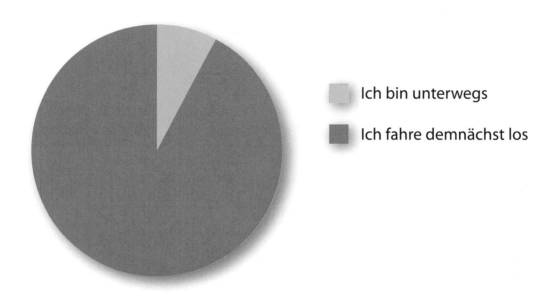

- Ich bin unterwegs
- Ich fahre demnächst los

Streit oder Zickenkrieg?

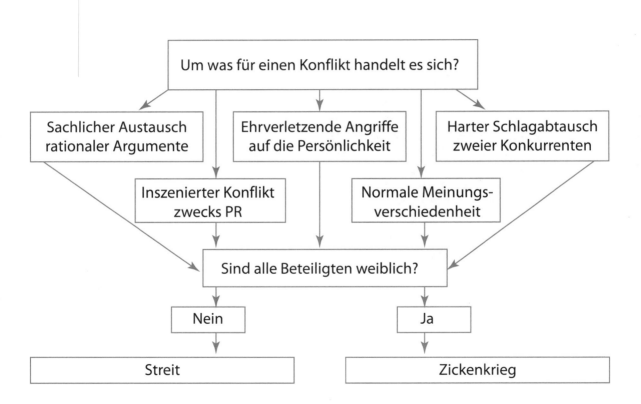

Dinge, die man im Studium lernt

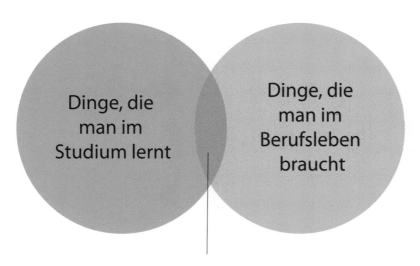

Dinge, die man im Studium lernt

Dinge, die man im Berufsleben braucht

Das Ertragen von Kantinenessen

Woran Frauen merken, dass Männer fremdgehen

- Er duscht regelmäßig
- Er ist während der Sportschau nicht zu Hause
- Er schenkt Blumen
- Er hat die Shorts falschrum an

Woran Männer merken, dass Frauen fremdgehen

- Sie ist ausgezogen
- Sie hat den Nachnamen geändert
- Sie hat 23 Monate nicht mit mir geschlafen
- Nie

Deutschland: Probleme mit Ausländern

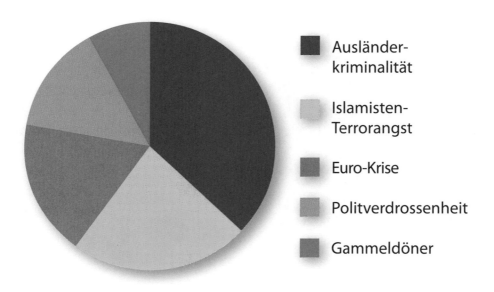

- ⬛ Ausländer-kriminalität
- ⬜ Islamisten-Terrorangst
- ⬛ Euro-Krise
- ⬛ Politverdrossenheit
- ⬛ Gammeldöner

Deutschland: Probleme ohne Ausländer

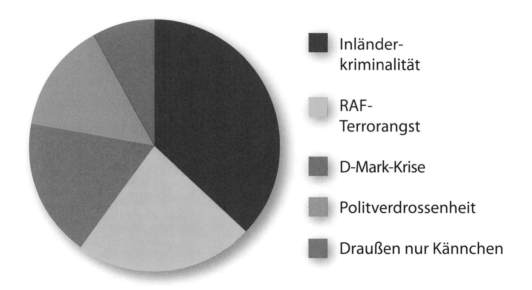

- Inländer-kriminalität
- RAF-Terrorangst
- D-Mark-Krise
- Politverdrossenheit
- Draußen nur Kännchen

Entwicklung der Rasierer

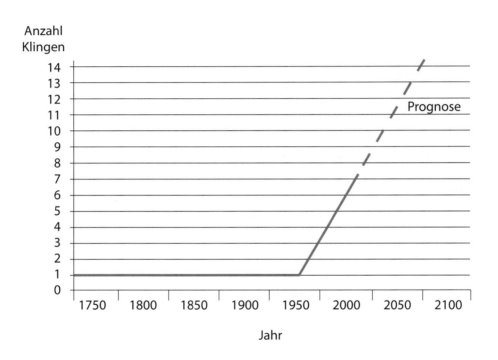

Herbst

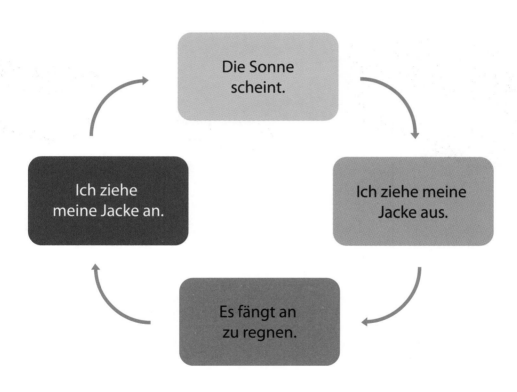

Reisekoffer packen

Was ich mitgenommen habe
und ungetragen
wieder zurückbringe

Was ich tatsächlich
gebraucht habe

Was ich vergessen habe

Was Menschen in Horrorfilmen machen, wenn sie jemand Fremden im Haus hören

- Die Polizei rufen
- Sich verstecken
- Weglaufen
- Nachsehen, woher das Geräusch kommt

Europa aus Sicht der Amerikaner

Tätigkeiten im Büro

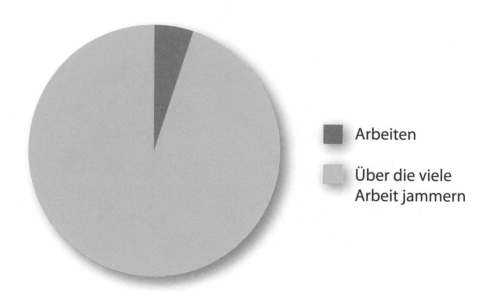

- Arbeiten
- Über die viele Arbeit jammern

Welchen Teil verstehen Versicherungsvertreter nicht, die dauernd anrufen?

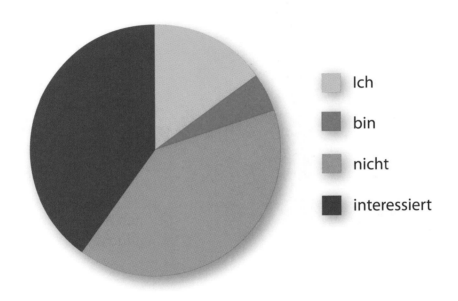

Ich

bin

nicht

interessiert

Wo ich mich befinde, wenn im Club mein Lieblingslied gespielt wird

- Ich bin auf der Tanzfläche
- Ich bin auf dem Klo
- Ich steh an der Bar
- Ich bin gerade draußen eine rauchen

Angetroffener Zustand der Kaffeemaschine

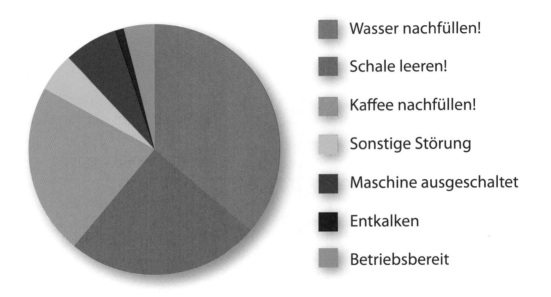

- Wasser nachfüllen!
- Schale leeren!
- Kaffee nachfüllen!
- Sonstige Störung
- Maschine ausgeschaltet
- Entkalken
- Betriebsbereit

Statistische Zusammensetzung des Gesäßes

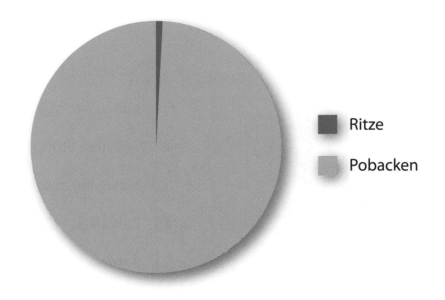

- ■ Ritze
- ■ Pobacken

Glaube, Liebe, Hoffnung

Was wir tun, wenn der Aufzug nicht kommt

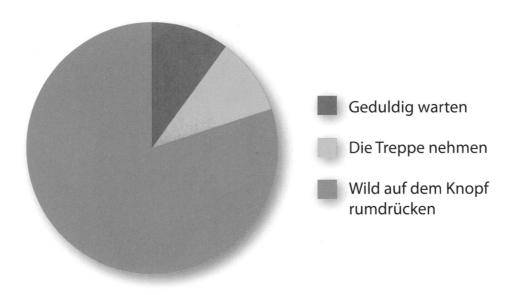

- Geduldig warten
- Die Treppe nehmen
- Wild auf dem Knopf rumdrücken

Größe meiner Katze

Normalgröße

Größe, wenn sie in meinem Bett liegt

Kindheit in den 80ern

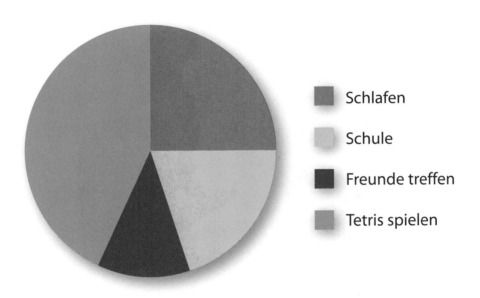

- Schlafen
- Schule
- Freunde treffen
- Tetris spielen

Männer sind …

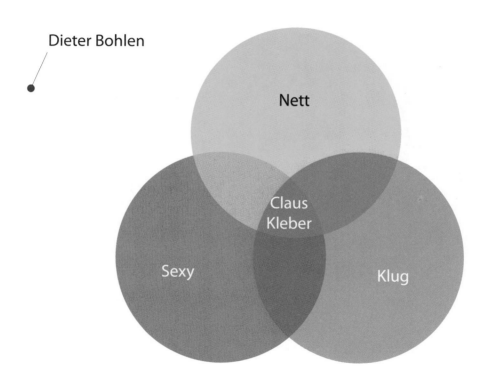

Dieter Bohlen

Nett

Claus
Kleber

Sexy

Klug

Gründe, warum meine Mutter mich anruft

- Um zu hören, wie es mir geht
- Um mir zu erzählen, wie es meinem Bruder geht

Wie sich die Amazon-Rezensionen zusammensetzen

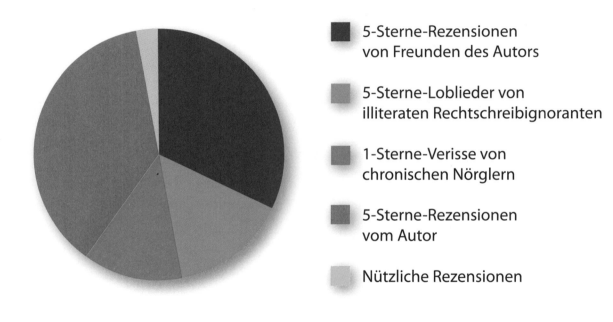

■ 5-Sterne-Rezensionen
von Freunden des Autors

■ 5-Sterne-Loblieder von
illiteraten Rechtschreibignoranten

■ 1-Sterne-Verisse von
chronischen Nörglern

■ 5-Sterne-Rezensionen
vom Autor

■ Nützliche Rezensionen

Nutzungshäufigkeit von Fingern bei Wutanfällen

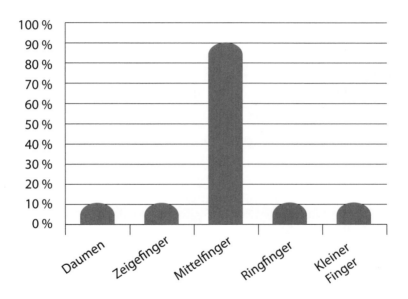

Man sieht sich immer wie oft im Leben?

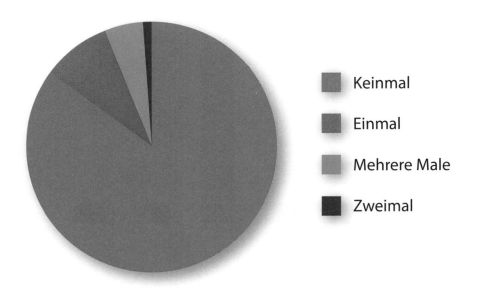

- Keinmal
- Einmal
- Mehrere Male
- Zweimal

Spaß beim Furzen

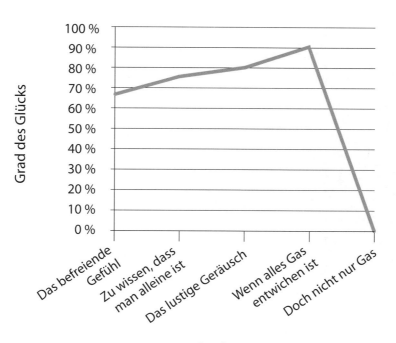

Interessen meiner Freunde auf XING

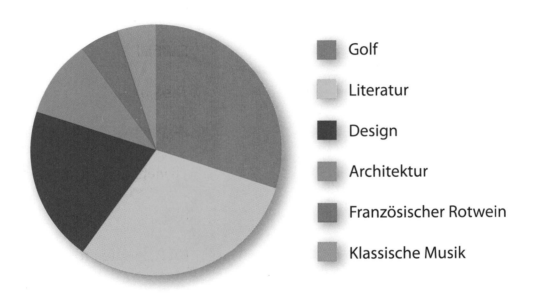

- Golf
- Literatur
- Design
- Architektur
- Französischer Rotwein
- Klassische Musik

Interessen meiner Freunde auf Facebook

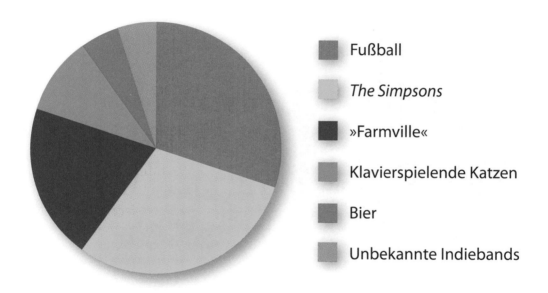

- Fußball
- *The Simpsons*
- »Farmville«
- Klavierspielende Katzen
- Bier
- Unbekannte Indiebands

Wer mich an Geburtstage erinnert

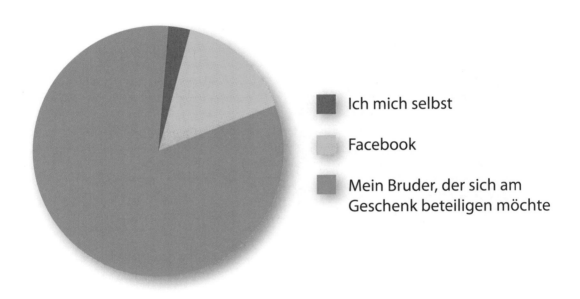

- Ich mich selbst
- Facebook
- Mein Bruder, der sich am Geschenk beteiligen möchte

Die Wirkung von Alkohol auf Männer

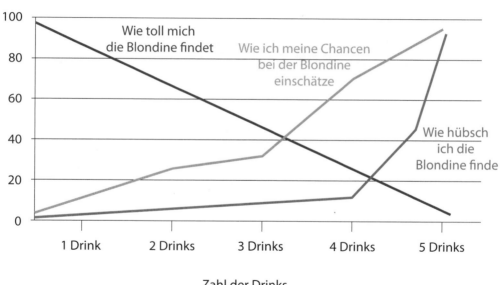

Attraktivität

100

80

60

40

20

0

Wie toll mich
die Blondine findet

Wie ich meine Chancen
bei der Blondine
einschätze

Wie hübsch
ich die
Blondine finde

1 Drink   2 Drinks   3 Drinks   4 Drinks   5 Drinks

Zahl der Drinks

Wo die Zitrone hinspritzt

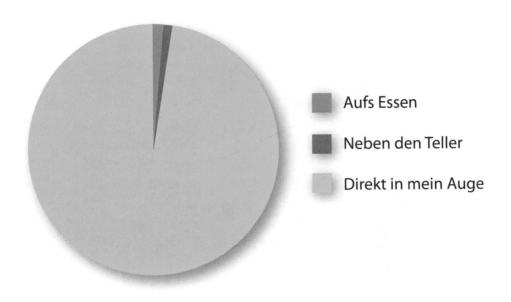

- Aufs Essen
- Neben den Teller
- Direkt in mein Auge

Wofür ich Google nutze

- Zum Recherchieren von Themen, die mich interessieren
- Zum Preisvergleich in Onlineshops
- Um die Schreibweise von Wörtern nachzugucken

Was man an Neil Armstrong bewundert

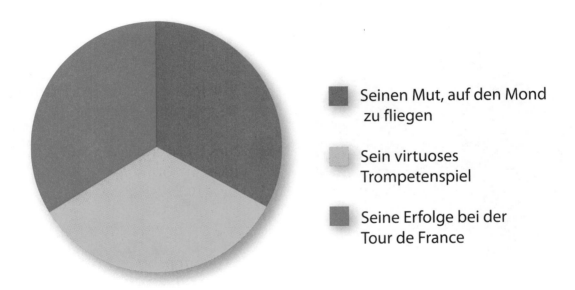

- Seinen Mut, auf den Mond zu fliegen
- Sein virtuoses Trompetenspiel
- Seine Erfolge bei der Tour de France

Topmodels

Gewinnerinnen von
Germany's Next Topmodel

Topmodels

Wen ich durch mein superkompliziertes Passwort davon abhalte, sich in meinen Account einzuloggen

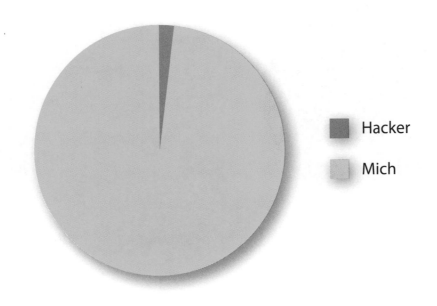

Hacker

Mich

Einsatz von Laserpointern

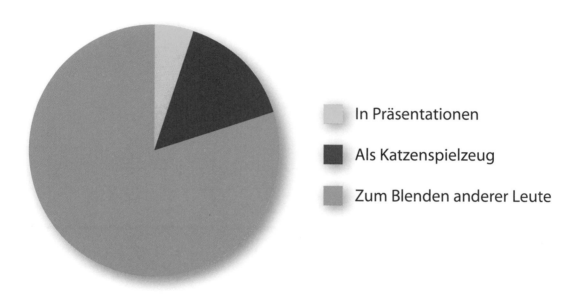

- In Präsentationen
- Als Katzenspielzeug
- Zum Blenden anderer Leute

Die Jugend von heute ist

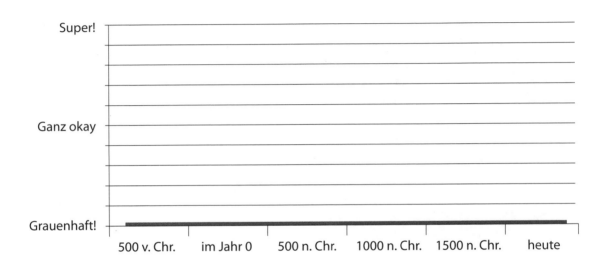

Was passiert, wenn man Kettenbriefe weiterschickt

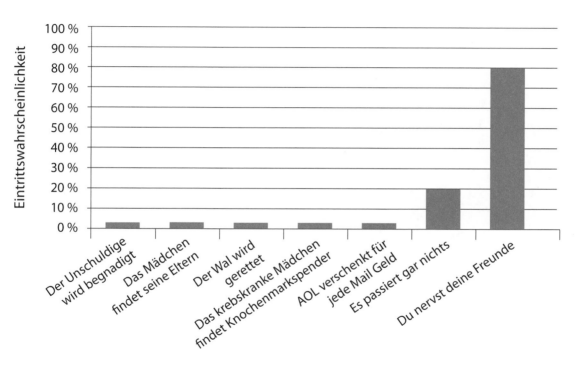

Eintrittswahrscheinlichkeit

Die Auswirkung der Kettenbriefe

Vor was Kinder Angst haben

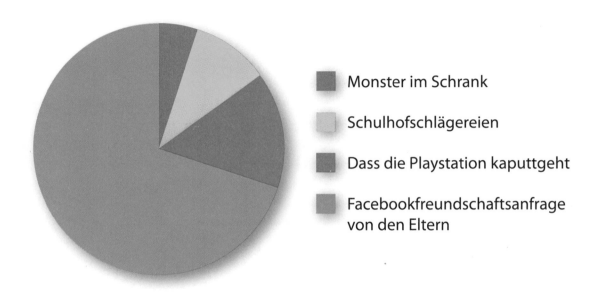

- Monster im Schrank
- Schulhofschlägereien
- Dass die Playstation kaputtgeht
- Facebookfreundschaftsanfrage von den Eltern

Türen öffnen

```
┌─────────────────┐      ┌─────────────────┐      ┌─────────────────┐
│  Ich sehe, dass │ ───▶ │  Ich denke, ich │ ───▶ │  Ich drücke.    │
│  an der Tür     │      │  muss jetzt an  │      │                 │
│  »Ziehen« steht.│      │  der Tür ziehen.│      │                 │
└─────────────────┘      └─────────────────┘      └─────────────────┘
```

Tage, die ich mag

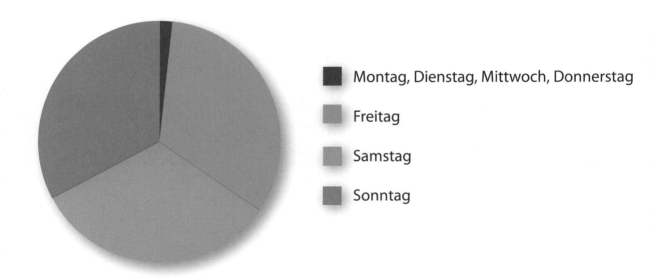

- Montag, Dienstag, Mittwoch, Donnerstag
- Freitag
- Samstag
- Sonntag

Griechenland – eine Analyse

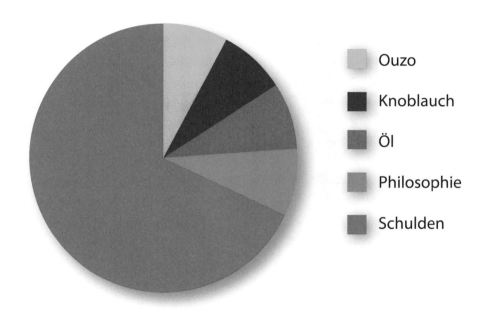

- Ouzo
- Knoblauch
- Öl
- Philosophie
- Schulden

Wann Männer für Gleichberechtigung sind

- Im Berufsleben
- Im Haushalt
- Bei der Kindererziehung
- Beim Bezahlen der Restaurantrechnung

Wann Frauen es mit der Gleichberechtigung auch mal nicht so ernst nehmen

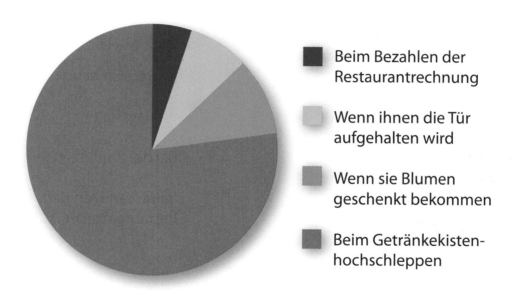

- Beim Bezahlen der Restaurantrechnung
- Wenn ihnen die Tür aufgehalten wird
- Wenn sie Blumen geschenkt bekommen
- Beim Getränkekisten-hochschleppen

Wer in Filmen stirbt

US-amerikanischer Film	Die promiske Blondine Der nette Schwarze
Französischer Film	Der Hauptdarsteller
Indischer Film	Niemand
Skandinavischer Film	Fast alle
Deutscher Film	Die Hoffnung, dass Veronika Ferres noch einmal umschult.

In flagranti: Die Wahrheit

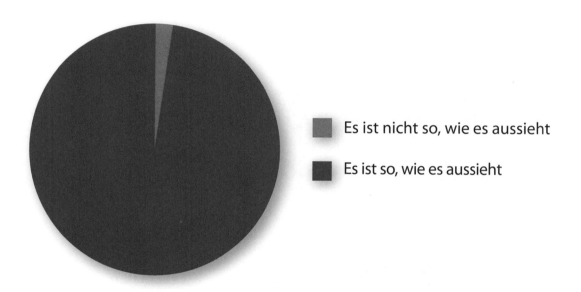

■ Es ist nicht so, wie es aussieht

■ Es ist so, wie es aussieht

Wie ich mir das Erwachsensein vorgestellt habe

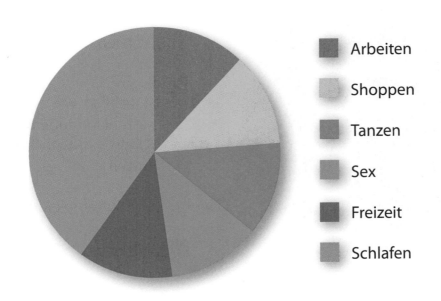

- Arbeiten
- Shoppen
- Tanzen
- Sex
- Freizeit
- Schlafen

Wie das Erwachsensein ist

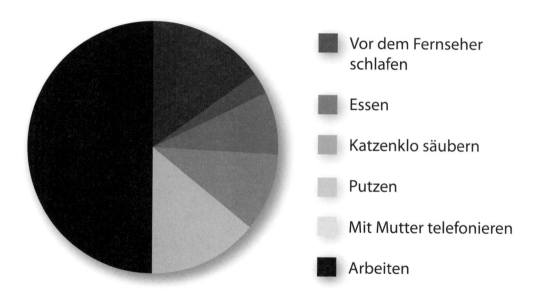

- Vor dem Fernseher schlafen
- Essen
- Katzenklo säubern
- Putzen
- Mit Mutter telefonieren
- Arbeiten

Was nach Hühnchen schmeckt

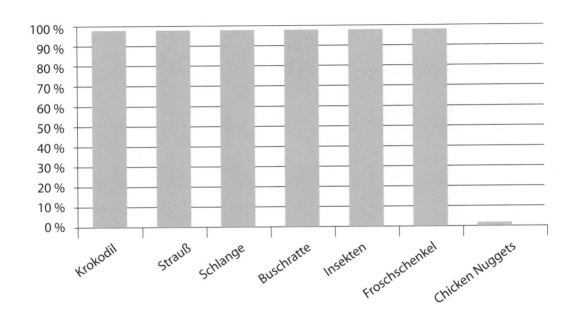

Was Männer tun, wenn sie eine wertvolle Porzellanpuppe in die Hand gedrückt bekommen

- Das liebevoll gestaltete Gesicht loben
- Nach Alter, Herkunft oder Künstler fragen
- Die authentisch-antike Kleidung schön finden
- Unter den Rock schauen

Sprechgeschwindigkeit

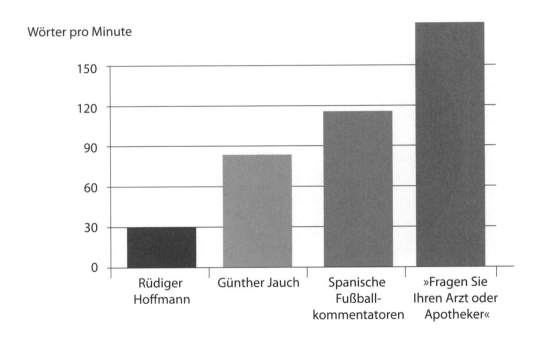

Wörter pro Minute

150	
120	
90	
60	
30	
0	

Rüdiger Hoffmann · Günther Jauch · Spanische Fußballkommentatoren · »Fragen Sie Ihren Arzt oder Apotheker«

Warum Frauen weinen

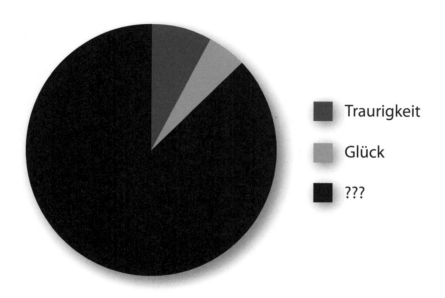

- ■ Traurigkeit
- ■ Glück
- ■ ???

Mein Platz im Kino

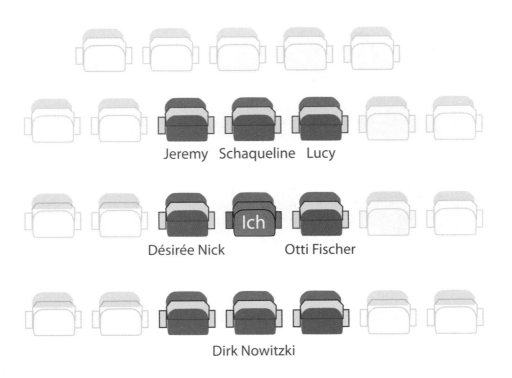

Jeremy Schaqueline Lucy

Désirée Nick Ich Otti Fischer

Dirk Nowitzki

Leinwand

Wer Social Media bei Unternehmen für unentbehrlich hält

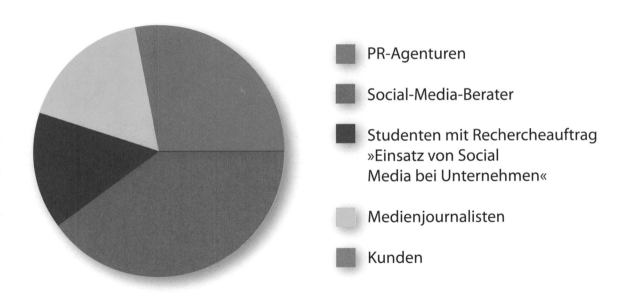

- PR-Agenturen
- Social-Media-Berater
- Studenten mit Rechercheauftrag »Einsatz von Social Media bei Unternehmen«
- Medienjournalisten
- Kunden

Bekannte Sternbilder

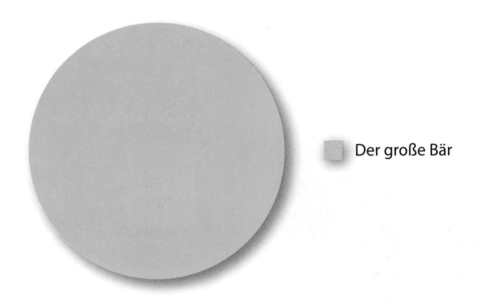

Der große Bär

Handyempfang

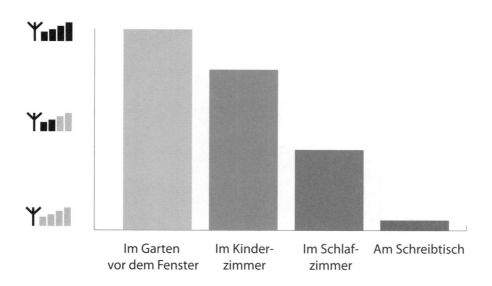

Moderne Kunst

Was der
Künstler sagen
will

Was der
Museumsführer
interpretiert

Wie
ich das Werk
verstanden
habe

Was an Justin Bieber blöd ist

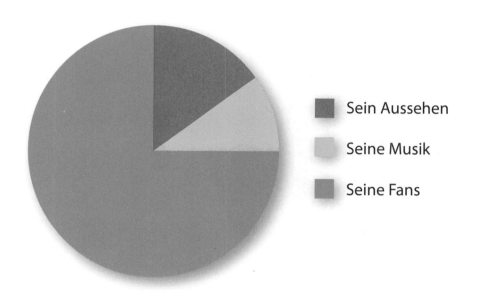

- Sein Aussehen
- Seine Musik
- Seine Fans

Sendungen bei N24

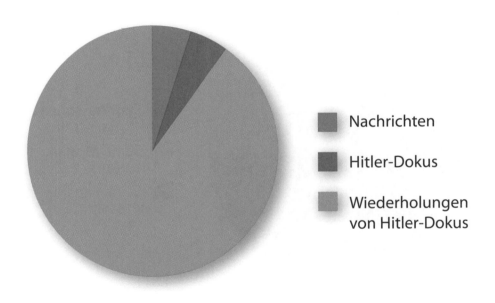

Nachrichten

Hitler-Dokus

Wiederholungen
von Hitler-Dokus

Gute Gründe, wieso man schon nachmittags einen Prosecco trinken muss

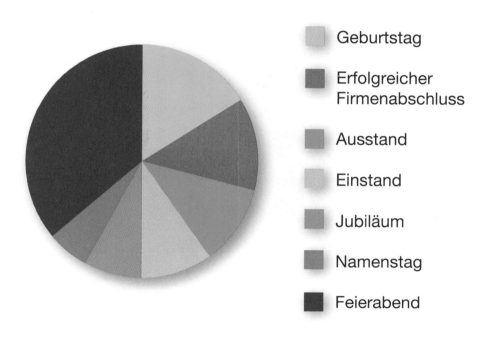

- Geburtstag
- Erfolgreicher Firmenabschluss
- Ausstand
- Einstand
- Jubiläum
- Namenstag
- Feierabend

Regenschirme

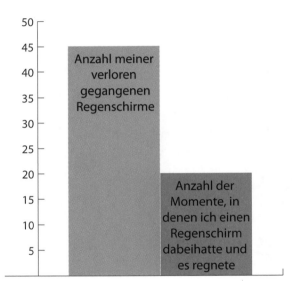

Was im Kinderpool ist

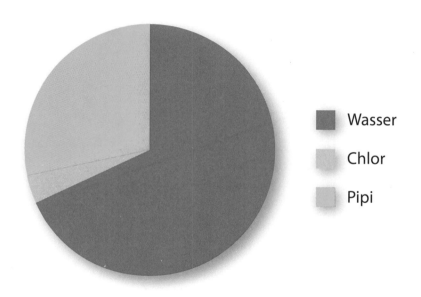

- Wasser
- Chlor
- Pipi

Reden

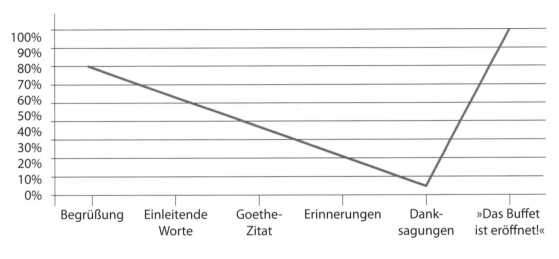

Aufmerksamkeit des Pubilkums

Was man denkt, wenn man Schwangere sieht

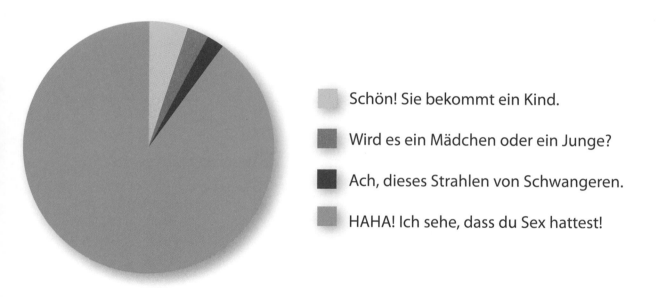

- Schön! Sie bekommt ein Kind.
- Wird es ein Mädchen oder ein Junge?
- Ach, dieses Strahlen von Schwangeren.
- HAHA! Ich sehe, dass du Sex hattest!

Die Lösung des Problems bei der Service-Hotline

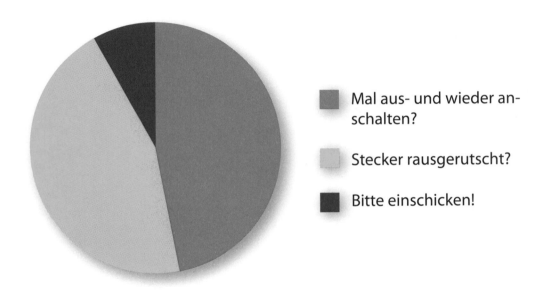

- Mal aus- und wieder an-schalten?
- Stecker rausgerutscht?
- Bitte einschicken!

Machtverteilung in Unternehmen

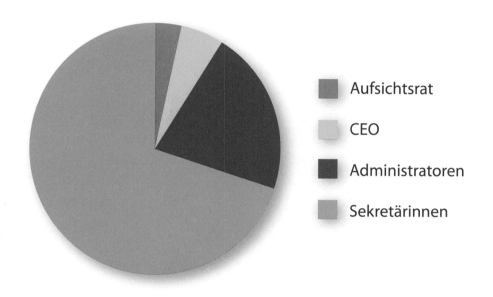

- Aufsichtsrat
- CEO
- Administratoren
- Sekretärinnen

Mein iPod

■ 24 Lieder,
die ich oft anhöre

■ Alle meine 7894 Lieder

Mit wie vielen Frauen ich geschlafen habe

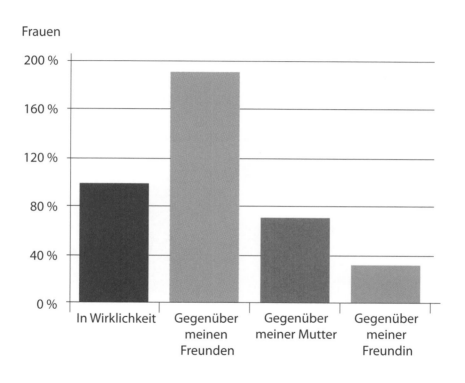

Was man macht, wenn man eine Sternschnuppe sieht

- Man überlegt, was man sich wünschen könnte.
- Man wünscht sich etwas.
- Man ruft: »WOW! Guck mal, eine Sternschnuppe!«

Die Ivolution

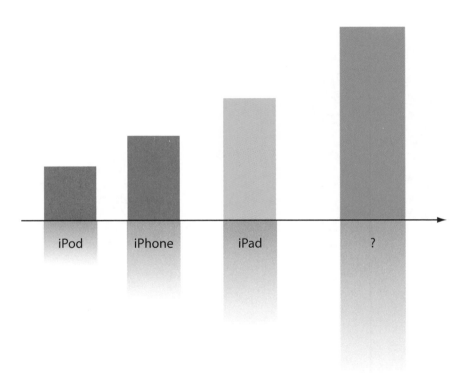

Die größten Probleme (weltweit)

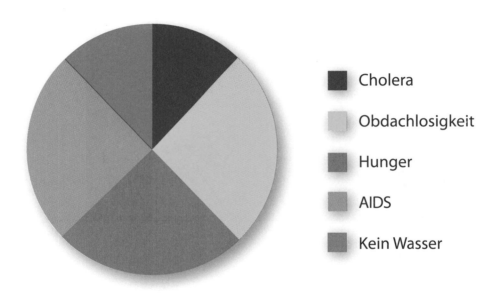

- Cholera
- Obdachlosigkeit
- Hunger
- AIDS
- Kein Wasser

Die größten Probleme (bei uns)

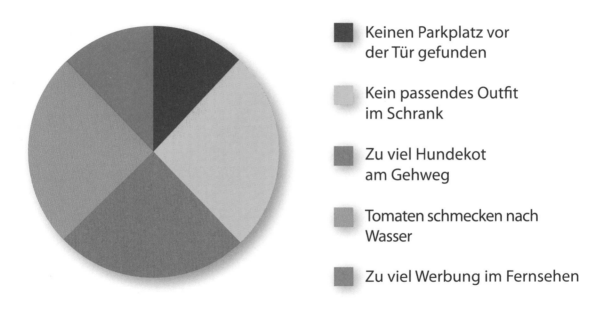

- Keinen Parkplatz vor der Tür gefunden
- Kein passendes Outfit im Schrank
- Zu viel Hundekot am Gehweg
- Tomaten schmecken nach Wasser
- Zu viel Werbung im Fernsehen

Väter

Wann man pinkeln muss

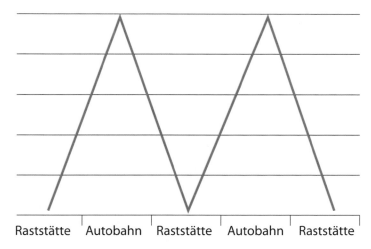

Kinderfotos

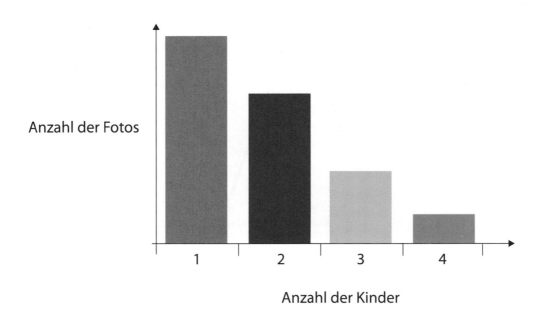

Anzahl der Fotos

Anzahl der Kinder

Was man macht, wenn man bei den Nachbarn die Blumen gießen soll

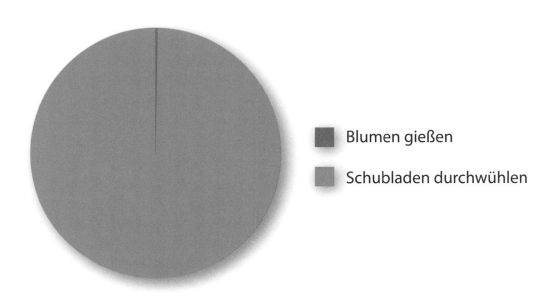

Blumen gießen

Schubladen durchwühlen

Projektarbeit

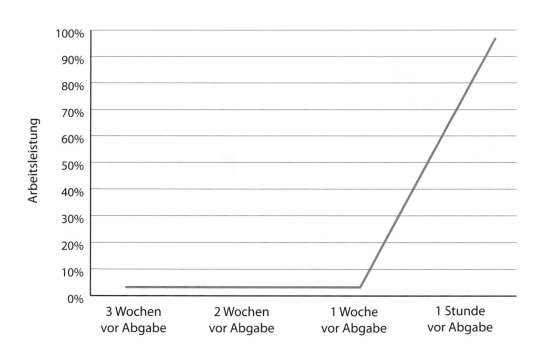

Leben und Tod

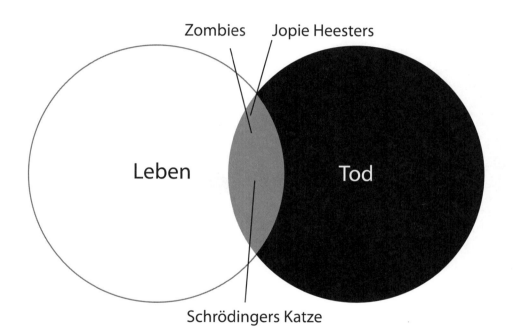

Zombies   Jopie Heesters

Leben   Tod

Schrödingers Katze

Wofür ich mein Latinum nutzen konnte

Um dadurch viel besser Französisch lernen zu können

Um den Lebenslauf aufzuhübschen

Um die Baujahre alter Gebäude entziffern zu können

Um auf Partys »In vino veritas« zu sagen

Was ich Ostern gefunden habe

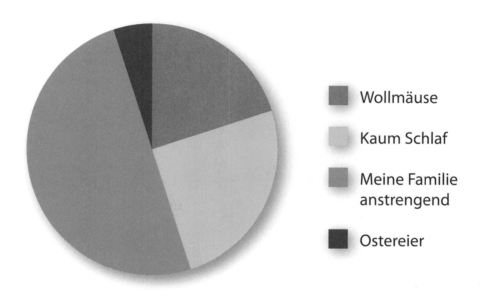

Wollmäuse

Kaum Schlaf

Meine Familie anstrengend

Ostereier

Pornolügen

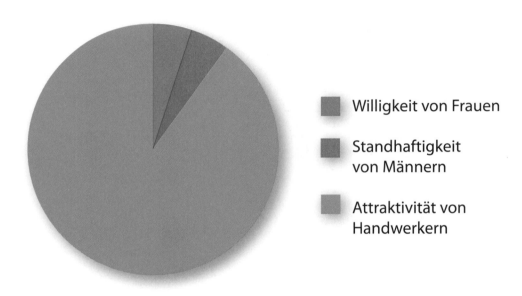

■ Willigkeit von Frauen

■ Standhaftigkeit
von Männern

■ Attraktivität von
Handwerkern

Vorfreude auf Weihnachten

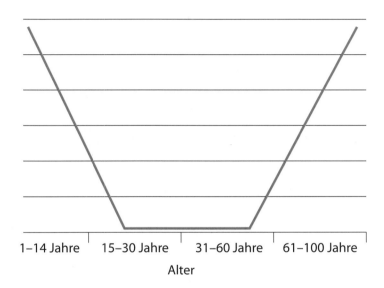

Was man in der Sauna vergisst (in der Werbung)

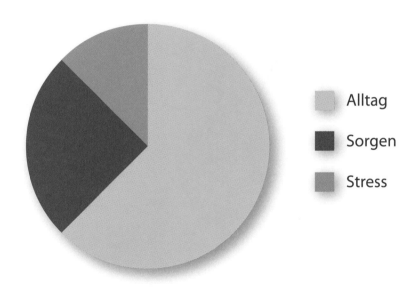

- Alltag
- Sorgen
- Stress

Was man in der Sauna vergisst
(in der Realität)

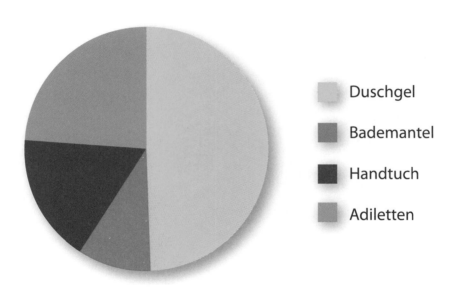

- Duschgel
- Bademantel
- Handtuch
- Adiletten

Was meine Mama denkt, wenn ich nicht ans Telefon gehe

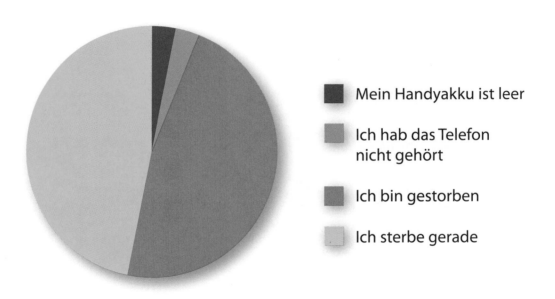

- Mein Handyakku ist leer
- Ich hab das Telefon nicht gehört
- Ich bin gestorben
- Ich sterbe gerade

Münchner Mieten

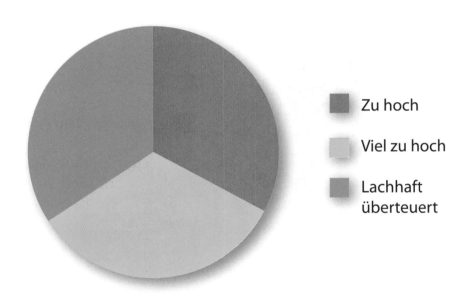

- Zu hoch
- Viel zu hoch
- Lachhaft überteuert

Eigenschaften von männlichen Superhelden

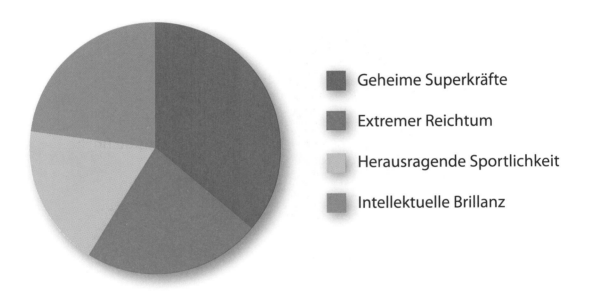

- Geheime Superkräfte
- Extremer Reichtum
- Herausragende Sportlichkeit
- Intellektuelle Brillanz

Eigenschaften von weiblichen Superhelden

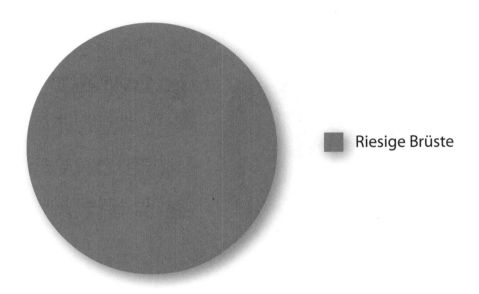

Riesige Brüste

Wofür Heimtrainer benutzt werden

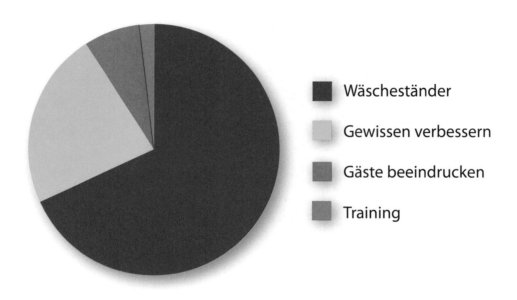

- Wäscheständer
- Gewissen verbessern
- Gäste beeindrucken
- Training

Interesse vs. Aussehen

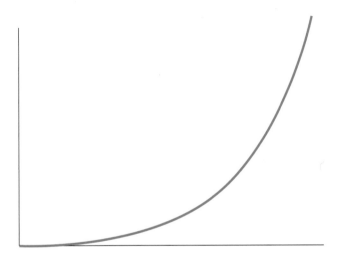

Wie sehr ich mich
für ihre Pferdegeschichten
interessiere

Wie hübsch das Mädchen ist

Kunsthandwerk

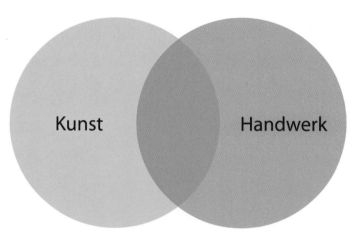

Wie alt Männer sind, die in Kontaktanzeigen im Internet angeben, sie wären 39 Jahre alt

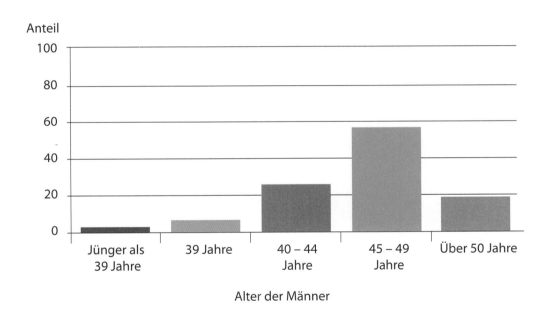

Woran man Intellektuelle im Fernsehen erkennt

Sie sagen kluge Dinge

Sie sitzen vor einem Bücherregal

Was Leute sagen, wenn ein Kinofilm vorbei ist

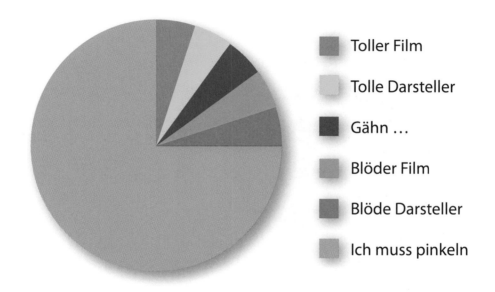

- Toller Film
- Tolle Darsteller
- Gähn …
- Blöder Film
- Blöde Darsteller
- Ich muss pinkeln

Wie man auf den Satz »Jetzt reg' dich nicht auf« reagiert

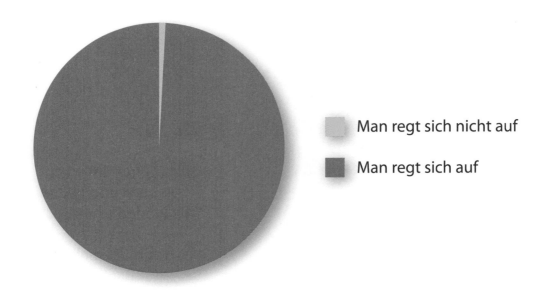

Man regt sich nicht auf

Man regt sich auf

Was Leute im Falle von Naturkatastrophen machen

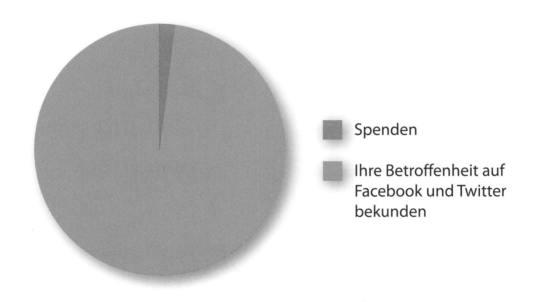

■ Spenden

■ Ihre Betroffenheit auf Facebook und Twitter bekunden

Für was Internetcommunitys gedacht sind

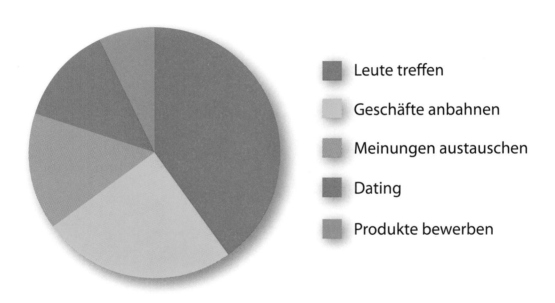

- Leute treffen
- Geschäfte anbahnen
- Meinungen austauschen
- Dating
- Produkte bewerben

Für was Internetcommunitys tatsächlich genutzt werden

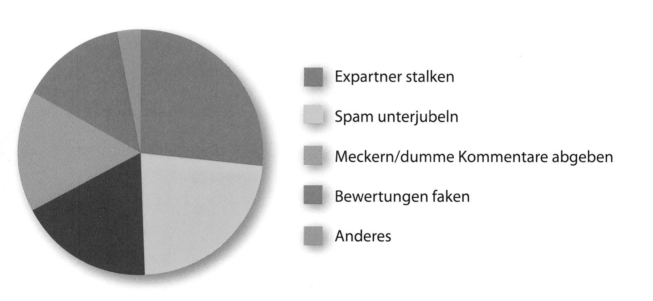

- Expartner stalken
- Spam unterjubeln
- Meckern/dumme Kommentare abgeben
- Bewertungen faken
- Anderes

Kann man Kinogutscheine verschenken?

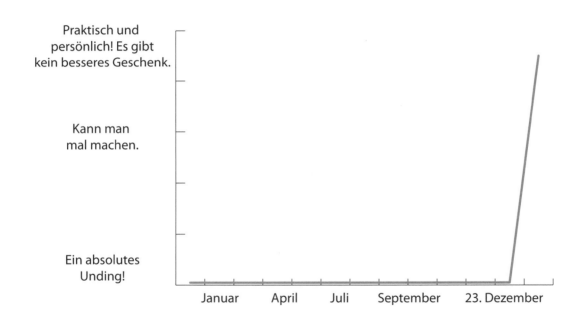

Was ich häufig verwechsle

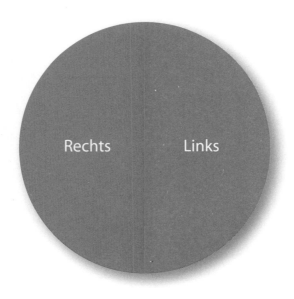

Verhütungsmittel für Männer

Sicherheit

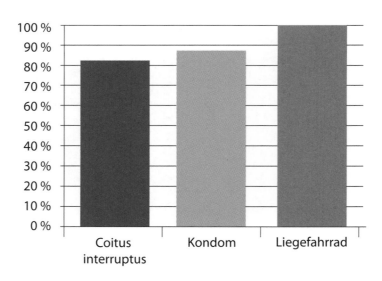

Was ich denke, wenn ich Kinder in Werbespots sehe

- Das ist so lustig, ich lache mich tot!
- Die Werbung überzeugt mich, ich werde das Produkt kaufen.
- Wirklich niedlich, dieses Kind!
- Oh Gott, ich darf die Pille nicht vergessen!

Quelle meines Wissens über das alte Ägypten

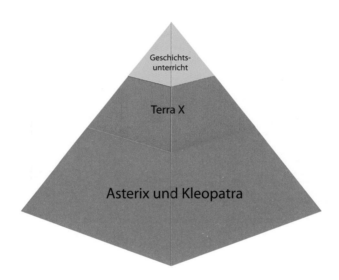

Wann Geräte kaputtgehen

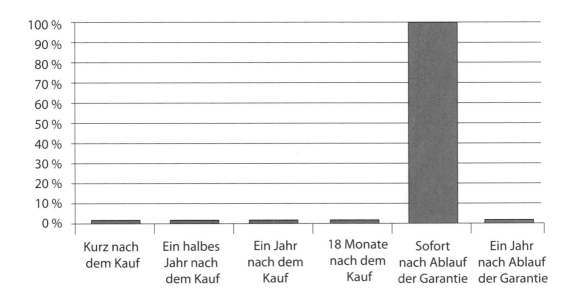

Schuhe

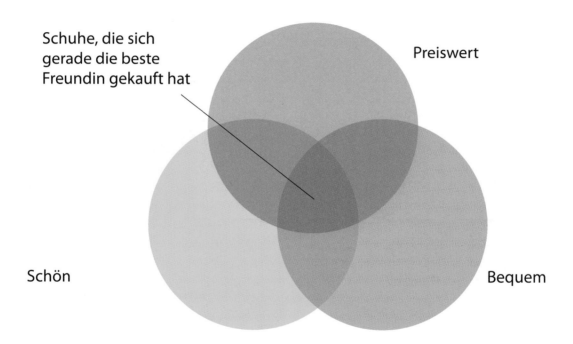

Schuhe, die sich
gerade die beste
Freundin gekauft hat

Preiswert

Schön

Bequem

Nahrungsvorkommen in meiner Wohnung

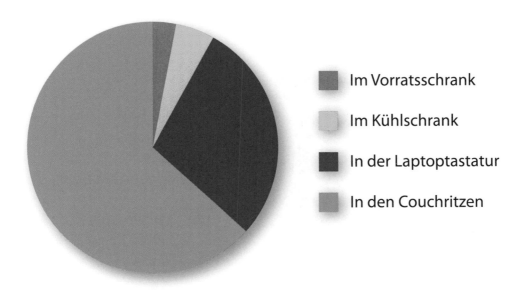

- Im Vorratsschrank
- Im Kühlschrank
- In der Laptoptastatur
- In den Couchritzen

Risiken des Internets für Jugendliche

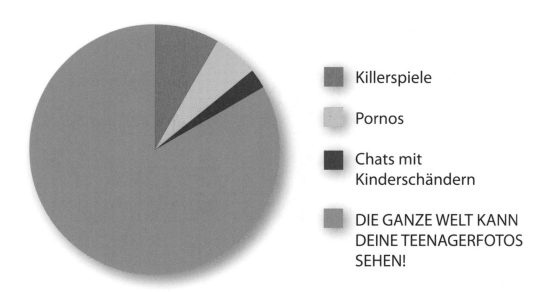

- Killerspiele
- Pornos
- Chats mit Kinderschändern
- DIE GANZE WELT KANN DEINE TEENAGERFOTOS SEHEN!

Was Vitamine enthält

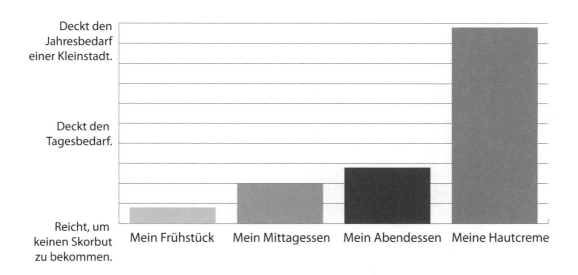

Kindheit heute
entweder:

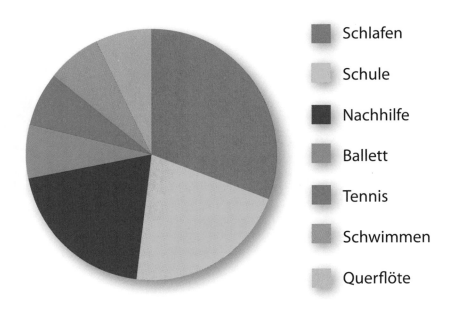

- Schlafen
- Schule
- Nachhilfe
- Ballett
- Tennis
- Schwimmen
- Querflöte

oder:

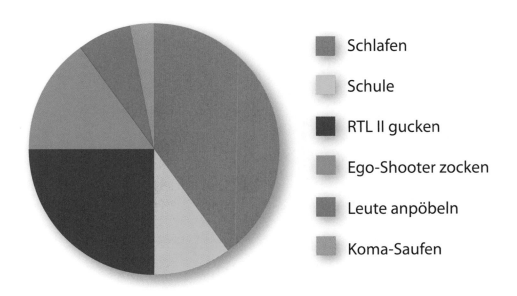

Schlafen

Schule

RTL II gucken

Ego-Shooter zocken

Leute anpöbeln

Koma-Saufen

Was ich mache, wenn ein Kugelschreiber nicht mehr schreibt

- ■ Die Mine austauschen
- ■ Den Kugelschreiber wegschmeißen
- ■ Den Kugelschreiber wieder zurücklegen und einen neuen ausprobieren

Musik

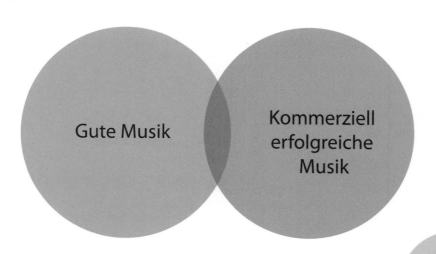

Gute Musik

Kommerziell erfolgreiche Musik

Jazz

Wie Jungs ihre Wäsche auswählen

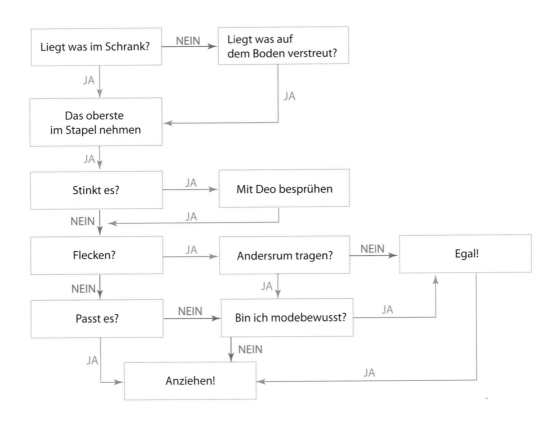

Wen Reggaemusiker auf dem Gewissen haben

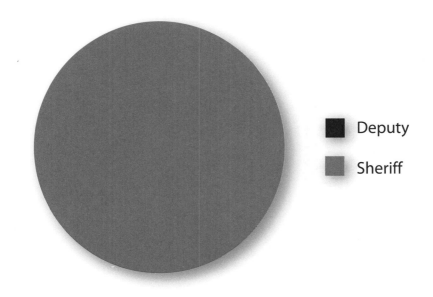

■ Deputy

■ Sheriff

»Ding Dong. Möchten Sie gerne mal mit mir über die Bibel sprechen?«

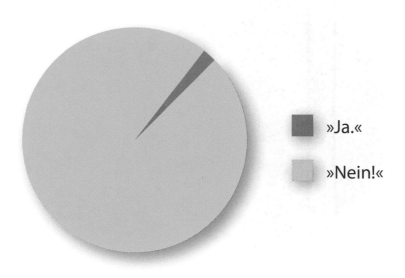

■ »Ja.«

□ »Nein!«

Inhalt alter Prophezeiungen

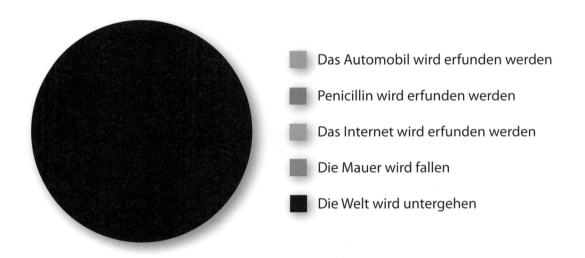

- Das Automobil wird erfunden werden
- Penicillin wird erfunden werden
- Das Internet wird erfunden werden
- Die Mauer wird fallen
- Die Welt wird untergehen

Was Frauen kaufen – aus ihrer Sicht

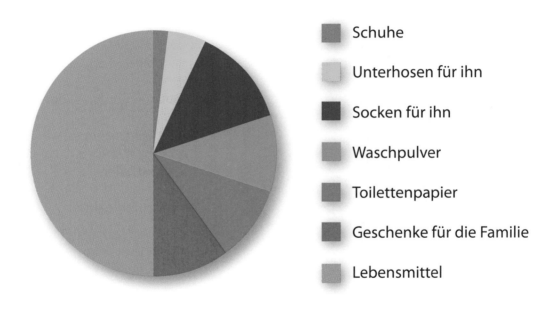

- Schuhe
- Unterhosen für ihn
- Socken für ihn
- Waschpulver
- Toilettenpapier
- Geschenke für die Familie
- Lebensmittel

Was Frauen kaufen – aus seiner Sicht

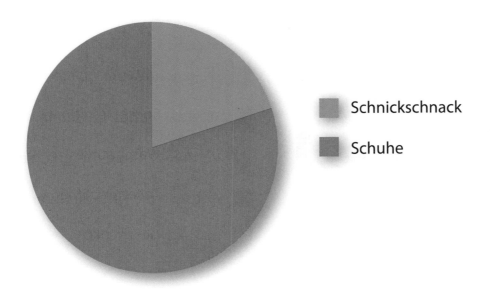

- Schnickschnack
- Schuhe

Zeitverteilung wenn ich dusche

- ■ Im kalten Wasser quietschen
- ■ Warten, bis das Wasser heiß genug ist
- ■ Verbrennen und runterkühlen
- ■ Angst, in die Kälte zu treten
- □ Waschen

Wettergespräche

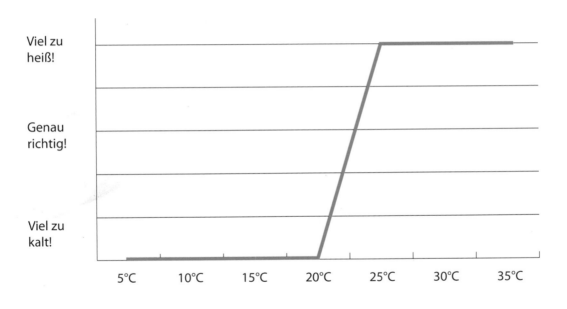

Viel zu heiß!

Genau richtig!

Viel zu kalt!

5°C 10°C 15°C 20°C 25°C 30°C 35°C

Außentemperatur

Auf was Männer bei Frauen achten

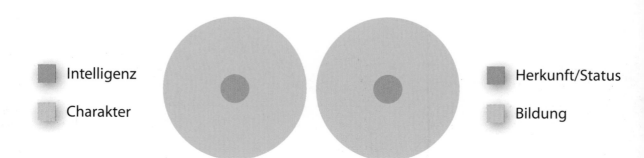

Intelligenz

Charakter

Herkunft/Status

Bildung